La bibliothèque Gallimard

Source des illustrations
Couverture : Photo © Fred Burnier.
M. & B. Enguerand : 189, 248.
Ramon Senera / Enguerand : 247.
Roger Viollet : 6, 9, 42, 45, 235, 255.

Molière

Le Tartuffe

Lecture accompagnée par
Claire Lelouch
Attachée temporaire d'enseignement
et de recherche à l'université Paris-XIII

La bibliothèque Gallimard

Florilège

«Il passe pour un saint dans votre fantaisie :
Tout son fait, croyez-moi, n'est rien qu'hypocrisie.» (Dorine)

«Mais il est devenu comme un homme hébété,
Depuis que de Tartuffe on le voit entêté;» (Dorine)

«Et Tartuffe? [...] – Le pauvre homme!» (Orgon)

«Il est de faux dévots ainsi que de faux braves.» (Cléante)

«Ah! vous êtes dévot, et vous vous emportez?» (Dorine)

«Couvrez ce sein que je ne saurais voir :
Par de pareils objets les âmes sont blessées,
Et cela fait venir de coupables pensées.» (Tartuffe)

«Ah! pour être dévot, je n'en suis pas moins homme.» (Tartuffe)

«Le scandale du monde est ce qui fait l'offense,
Et ce n'est pas pécher que pécher en silence.» (Tartuffe)

«C'est un homme, entre nous, à mener par le nez;
De tous nos entretiens il est pour faire gloire,
Et je l'ai mis au point de voir tout sans rien croire.» (Tartuffe)

«Nous vivons sous un Prince ennemi de la fraude,
Un Prince dont les yeux se font jour dans les cœurs,
Et que ne peut tromper tout l'art des imposteurs.» (L'Exempt)

Ouvertures

Une fête royale...

La première représentation du *Tartuffe*

Une fête royale est donnée dans les jardins de Versailles du 7 au 13 mai 1664 devant six cents courtisans. Ce sont les *Plaisirs de l'île enchantée*. Pour cette magnifique fête, Louis XIV charge Molière et sa troupe d'assurer les divertissements théâtraux : ils interprètent *La Princesse d'Élide*, une comédie* galante, puis *Les Fâcheux* et *Le Mariage forcé*, deux comédies-ballets mêlant théâtre, musique et danse. Entre ces deux derniers divertissements, Molière propose, le 12 mai, une comédie* inédite, en trois actes et en vers, intitulée *Tartuffe ou L'Hypocrite*. Il s'agit de la première version du *Tartuffe*.

Voici comment le gentilhomme Marigny relate l'événement : « Sa Majesté fit jouer une comédie* nommée *Tartuffe*, que le sieur de Molière avait faite contre les hypocrites, mais quoiqu'elle eût été trouvée fort divertissante, le Roi connut tant de conformité entre ceux qu'une véritable dévotion* met sur le chemin du ciel et ceux qu'une vaine ostentation des bonnes œuvres n'empêche pas de commettre de mauvaises, que son extrême délicatesse pour les choses de la religion ne pût souffrir cette ressemblance du vice avec la vertu qui pouvait être prise l'une pour l'autre, et quoiqu'on ne doutât point des bonnes intentions de l'auteur, il la défendit pour-

* Les mots signalés par un astérisque sont définis dans le glossaire.

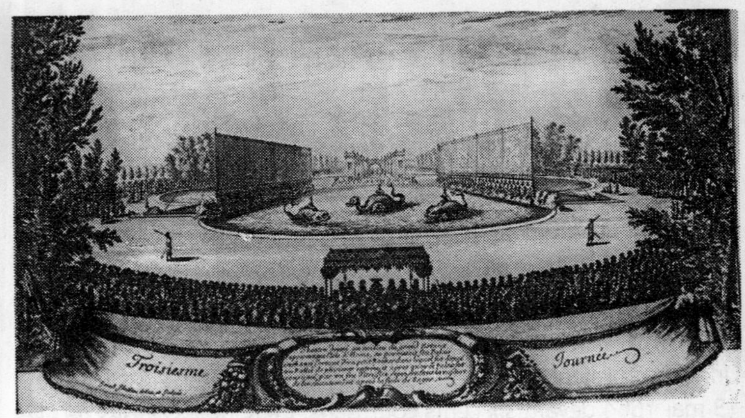

9 mai 1664 : Les *Plaisirs de l'île enchantée* à Versailles. Le théâtre est alors conçu comme un pur divertissement. Dans ce contexte, *L'Hypocrite* de Molière se distingue en mêlant amusement et critique sociale acerbe. (Gravure d'Israël Silvestre.)

tant au public et se priva soi-même de ce plaisir, pour ne pas laisser abuser à d'autres, moins capables d'en faire un juste discernement » (Joël Cornette, *Chronique du règne de Louis XIV*, Paris, Sedes, 1997). Autrement dit, le roi interdit une pièce qu'il a pourtant applaudie et appréciée. La querelle du *Tartuffe* vient d'éclater.

La cabale des dévots

Que s'est-il passé ? Pour bien comprendre les circonstances de la querelle du *Tartuffe*, il convient de s'attarder un instant sur le **contexte religieux** de l'époque. Le roi Louis XIV a commencé son règne en 1661 (il s'achèvera avec sa mort, en 1715) : c'est un règne personnel, sans Premier ministre – ce qui constitue la marque de l'absolutisme. Dans le même temps, la France connaît une période de restauration catholique et de grande ferveur religieuse. Les liens entre l'Église et l'État sont d'ailleurs très étroits puisque la monarchie française est de « droit divin » et que le roi est appelé « Roi très chrétien ». Mais le roi est jeune, il aime les plaisirs et les fêtes, et veut se divertir. Cela n'est pas du tout du goût de la reine mère Anne d'Autriche : elle condamne les excès de la « jeune Cour » et veut les refréner. Autour de la mère de Louis XIV vont donc se regrouper les partisans de l'ordre moral, tous ceux qui condamnent les excès, s'offusquent des débauches royales, cherchent à faire revenir le roi « dans le droit chemin » et à exercer auprès de lui une influence tout autant religieuse que politique. Ces partisans de l'ordre et d'une morale rigide et austère sont des **dévots**. Ce terme n'a originellement aucune connotation péjorative : il signifie littéralement « dévoué à Dieu », mais il désigne rapidement ceux qui témoignent d'un scrupule religieux excessif, d'un zèle qui s'apparente au fanatisme. Ces individus se constituent en véritable parti, le « parti des dévots », et cherchent à toucher le jeune roi par l'intermédiaire de la reine mère : les membres qui œuvrent au sein de ce parti sont des gens influents. Depuis que Louis XIV a décidé d'exercer le pouvoir seul, ce parti a sombré dans la semi-clandestinité et a développé des **sociétés secrètes**, véritables instruments de l'ordre moral, qui agissent dans l'ombre, visent à diriger l'opinion, luttent pour les valeurs chrétiennes... et s'opposent au roi. La Compagnie du Saint-Sacrement est de ce nombre.

La Compagnie du Saint-Sacrement – Fondée en 1627, la Compagnie du Saint-Sacrement, sorte d'association d'action catholique, soutenue par le pape, rassemble des membres appartenant à l'élite sociale : nombreux sont les nobles et les grands personnages de l'État qui appartiennent à ce réseau. Elle se fixe comme objectif de « promouvoir la gloire de Dieu par tous les moyens ». Sous le couvert d'une activité essentiellement tournée vers la charité publique, cette compagnie a en fait des activités semi-clandestines : elle lutte contre le désordre des mœurs, cherche à faire interdire les bals et les spectacles et dénonce l'immoralité du théâtre.

Petit détail, enfin, concernant cette compagnie : ses membres s'appellent mutuellement « frère ». Vous vous apercevrez que ce mot est capital dans *Le Tartuffe*.

La querelle du *Tartuffe*

Pourquoi la Compagnie du Saint-Sacrement intervient-elle et cherche-t-elle à faire censurer la comédie de Molière ? Certes, la compagnie secrète est par principe hostile à Molière puisqu'il est homme de théâtre et qu'à ce titre il corrompt la société. Mais c'est surtout le thème développé par la comédie* qui suscite une réaction aussi violente de la part de ces catholiques intransigeants. *Le Tartuffe* aborde en effet le thème de la **fausse dévotion***, une dévotion* avide mise au service des intérêts les plus vils : un directeur de conscience*, Tartuffe, s'installe en effet chez un dévot naïf, Orgon, et le manipule dans le but de lui extorquer ses biens, de séduire sa femme et d'épouser sa fille ! Cette satire de la fausse dévotion* signale que Molière cherche à engager la comédie* contre les mœurs de son temps : la comédie* devient pour lui politique.

Tartuffe ou L'Hypocrite : première !

Les membres de la Compagnie, avec l'appui de la reine mère, ont cherché à supprimer la comédie* de Molière dès le mois d'avril 1664 et à en empêcher la représentation lors de la fête royale. Ils échouent. Ils parviennent en revanche à exercer une pression suffisante auprès du roi pour faire interdire la pièce : les représentations publiques ne sont guère autorisées même si le roi conserve sa confiance et sa faveur à Molière. Les représentations privées (c'est-à-dire chez des particuliers) sont tolérées et Molière les multiplie, à la recherche de soutiens.

C'est dans ce contexte que Molière compose *Dom Juan* qu'il représente en février 1665. La pièce provoque un nouveau scan-

Heurs et malheurs de la troupe de Molière : parfois, un huissier interdit de jouer. Déchiffrez-vous la censure sur la page ?

dale : elle met en scène un libertin qui adopte le masque de la fausse dévotion* pour se protéger de la police (« L'hypocrisie est un vice à la mode, tous les vices à la mode passent pour vertus », dit Dom Juan); au cinquième acte, il flagelle même les dévots ! *Dom Juan* ne sera représenté que quinze fois.

Panulphe ou L'Imposteur : deuxième !

La mort de la reine mère Anne d'Autriche au début de l'année 1666 permet à Molière d'espérer de nouvelles représentations publiques de son *Tartuffe*. En 1667, le roi part en campagne en Flandre et lui donne une simple autorisation verbale. Molière, qui a remanié son texte et y a apporté de multiples modifications et de nombreux adoucissements, représente la nouvelle version de sa comédie au théâtre du Palais-Royal le 5 août 1667. Elle porte un nouveau titre : *Panulphe ou L'Imposteur*; le personnage éponyme n'est plus un dévot, mais un gentilhomme. Elle compte désormais cinq actes. La pièce, quoique retravaillée, est suspendue dès le lendemain et le théâtre du Palais-Royal est fermé. L'archevêque de Paris justifie ainsi cette décision : « on représenta, sur l'un des théâtres de cette ville, sous le nouveau nom de *L'Imposteur*, une comédie* très dangereuse et qui est d'autant plus capable de nuire à la religion que, sous prétexte de condamner l'hypocrisie ou la fausse dévotion*, elle donne lieu d'en accuser indifféremment tous ceux qui font profession de la plus solide piété et les expose par ce moyen aux railleries et aux calomnies continuelles des libertins… » (Joël Cornette, *Chronique du règne de Louis XIV*, Paris, Sedes, 1997).

La cabale* des dévots n'a jamais été aussi prompte ni efficace ! Cette fois, l'interdiction s'étend aux représentations privées et est assortie de menaces d'excommunication. Malgré tout, Molière continue de bénéficier des faveurs royales : appelé à la Cour, il compose *Amphitryon* en février 1668.

Jamais deux sans trois

Au début de l'année 1669, le climat politique et religieux a changé. Le pouvoir royal se trouve renforcé à l'extérieur avec le traité d'Aix-la-Chapelle qui met un terme à la guerre de Dévolution entre la France et l'Espagne, comme à l'intérieur avec la « Paix de l'Église » qui marque la fin des persécutions contre les jansénistes (parti religieux). La Compagnie du Saint-Sacrement est dissoute. Le roi autorise enfin la troisième version du *Tartuffe*, le 5 février 1669. Le 9 février 1669, vient le jour du triomphe du *Tartuffe*. Le succès est immédiat et durable : le montant des recettes est exceptionnel, la pièce est représentée vingt-huit fois, ce qui est considérable pour l'époque. Une représentation a même lieu devant la reine le 21 février. Pour éviter toute nouvelle censure, Molière s'empresse de faire publier sa comédie* et la version imprimée connaît également un grand succès. *Le Tartuffe* marque ainsi le point culminant de la carrière dramatique de Molière.

La carrière de Molière

Vers le théâtre

Jean-Baptiste Poquelin naît en 1622. Issu d'un milieu bourgeois parisien, il est l'aîné d'une famille de marchands tapissiers : son père est tapissier du roi, charge modeste mais honorifique. Tout le destine d'ailleurs à suivre cette voie : en 1637, son père obtient pour lui la survivance de cette charge, Jean-Baptiste Poquelin sera lui aussi tapissier du roi, fait ses humanités au collège de Clermont et poursuit des études de droit à Orléans (on suppose qu'il a même exercé quelques mois la profession d'avocat). À vingt et un ans, il renonce définitivement à la charge que lui réserve son père et fonde avec la famille Béjart une troupe ambulante, l'Illustre-Théâtre. Il prend alors le pseudonyme de Molière, il a vingt-deux ans. Il ambitionne de concurrencer les deux grandes troupes de théâtre parisiennes, celles du Marais et de l'Hôtel de Bourgogne. Molière échoue : l'Illustre-Théâtre fait faillite. Il quitte alors Paris. Pendant quinze ans, il joue en province ; à Pézenas, il bénéficie de la protection du prince de Conti (troisième personnage du royaume, après le roi et Monsieur – frère du roi). C'est pendant cette période que Molière écrit ses premières pièces, *L'Étourdi*, *Le Dépit amoureux*. Lorsque Conti, qui s'est converti, retire à Molière sa protection, Molière est devenu un auteur dramatique : il peut conquérir la capitale. Il a trente-six ans.

Avant *Le Tartuffe* : farces et comédies

Le retour de Molière à Paris en 1658 marque le début d'une carrière fulgurante. Devenu directeur de troupe, Molière se voit accorder la protection de Monsieur, frère du roi. Il séduit même le roi qui assiste à la représentation de la farce* *Le Docteur amoureux* et gratifie Molière de la salle du Petit-Bourbon. Tout s'enchaîne alors très vite.

Molière commence par écrire des farces* en un acte (*Les Précieuses ridicules*, qui connaissent un succès triomphal) ou en trois actes (*Sganarelle ou Le Cocu imaginaire*). 1659 marque le début des luttes que doit affronter Molière pendant toute sa carrière : la comédie* *Les Précieuses ridicules* est attaquée par des confrères jaloux et des mondains offensés. Installé dans la salle du Palais-Royal, Molière devient un auteur à succès : il compose vite et bien. À tel point qu'il se lance dans la « grande comédie* », en cinq actes et en vers (nous évoquerons ce point dans un instant) : Molière décide d'engager la comédie* contre les mœurs de son temps. Il présente en 1662 *L'École des femmes*. Une (première) cabale* se forme contre lui. Il y répond avec la *Critique de L'École des femmes* et *L'Impromptu de Versailles*. Les ennemis de Molière se font de plus en plus nombreux. Pour Molière, les « grands sujets » sont maintenant ouverts à la comédie* et il se lance en 1664 dans la composition du *Tartuffe*, dont vous connaissez à présent l'affaire.

Après *Le Tartuffe* : les thèmes de l'imposture et de l'hypocrisie

Pendant la querelle du *Tartuffe*, et encore après, les thèmes de l'imposture et de l'hypocrisie deviennent prépondérants dans l'œuvre de Molière. Celui-ci développe des personnages d'imposteurs qui cherchent à s'emparer du pouvoir domestique (Trissotin dans *Les Femmes savantes*; Béline dans *Le Malade imaginaire*) ou analyse l'hypocrisie, notamment dans *Dom Juan* et *Le Misanthrope*.

Au moment de son triomphe sur les ennemis du *Tartuffe* en 1669, Molière est déjà malade. Il ne lui reste que quatre ans à vivre. Période bien suffisante pour métamorphoser définitivement le genre de la comédie* et composer de nombreux chefs-d'œuvre : *Le Bourgeois gentilhomme, Les Fourberies de Scapin, Les Femmes savantes, Le Malade imaginaire*. Atteint d'une fluxion de poitrine, Molière meurt, à l'âge de cinquante et un ans, peu après la quatrième représentation du *Malade imaginaire*, le 17 février 1673.

Qu'est-ce qu'une comédie ?

Les enjeux du *Tartuffe* sont doubles. Ils touchent autant le sujet de la pièce, la fausse dévotion*, que le genre même de la comédie* et la place à laquelle Molière veut le hausser. Sur l'enjeu politico-religieux se greffe par conséquent un enjeu spécifiquement théâtral.

Grande tragédie, vile comédie

En cette période d'**apogée du classicisme***, Molière a pour ambition de faire sortir la comédie* de la place subalterne dans laquelle les dramaturges, et surtout les doctes, veulent la confiner. Il veut renouveler ce genre méprisé et considéré comme inférieur. En effet, toute l'attention est accordée au « grand » genre, au genre noble qu'est la tragédie, dont Aristote a fixé les règles dans sa *Poétique*.

Qu'est-ce qui différencie donc la tragédie de la comédie*, indépendamment bien sûr de son dénouement* (malheureux pour la tragédie, heureux pour la comédie*) ? La tragédie met en scène des personnages de haute naissance (nobles, princes, rois); son sujet est tiré de la mythologie grecque ou romaine ou de l'Histoire et engage un « intérêt d'État »; elle doit être en alexandrins et en cinq actes. À l'inverse, la comédie*, beaucoup plus brève (un ou trois actes), doit se contenter de personnages d'humble condition (ce qui revient à dire qu'on n'y trouve pas de personnages nobles), de sujets inventés ou extraits de la vie quotidienne qui n'engagent que des intérêts particuliers; par ailleurs, l'action se déroule traditionnellement à l'extérieur, sur une place publique.

La « grande comédie »

Le Tartuffe au contraire marque l'avènement de la « grande comédie* ». À l'instar de la tragédie, cette nouvelle comédie* se construit en cinq actes et en alexandrins, respecte la règle des trois unités*, la vraisemblance et les bienséances. Molière déplace également le lieu de l'action de l'extérieur vers l'intérieur (une maison). Cette « grande comédie* » combine de manière harmonieuse les différents types de comédie* : comédie d'intrigue, de mœurs, de caractères. La **comédie d'intrigue** développe le thème des amours contrariées, du mariage entre deux amants compromis par la volonté tyrannique d'un père. La **comédie de caractère** entreprend l'étude d'un travers humain : un personnage a une obsession, une « chimère » selon le vocabulaire de l'époque (le malade imaginaire, le bourgeois gentilhomme). La **comédie de mœurs** développe un problème universel ou bien ancré dans la réalité contemporaine (la place de la femme, la fidélité, etc.).

Tous ces éléments se retrouveront dans la pièce que vous allez lire et étudier : la comédie d'intrigue avec le mariage de Mariane et Valère auquel va s'opposer Orgon; la comédie de caractère avec l'aveuglement d'Orgon ; la comédie de mœurs avec l'hypocrisie dans la société.

Molière parvient en outre à intégrer dans sa comédie* des éléments issus de la **farce***, en réinvestissant le traditionnel schéma du mari cocu, de la femme mariée et de l'amant (souvent un religieux du reste) et en convoquant le comique de geste. Vous rencontrerez, en lisant *Le Tartuffe*, des soufflets, des menaces de coups de bâton, un mari dissimulé sous une table, un directeur de conscience qui cherche à séduire et à suborner la femme de celui qui l'a recueilli…

À travers *Le Tartuffe*, Molière livre sa conception même de la comédie* et en renouvelle également profondément le genre.

Le véritable sujet du *Tartuffe* : Orgon ou Tartuffe ?

Contrairement à ce que le titre laisse à penser, si Tartuffe est bien le personnage le plus important de la pièce, il n'est pourtant pas le sujet de la comédie*. Dans l'esprit de Molière, Orgon est un personnage tout aussi important que Tartuffe : il est même un « pivot », le pivot autour duquel s'organise l'intrigue* de la comédie*. Plusieurs raisons expliquent ce transfert de Tartuffe vers Orgon. Tout d'abord, l'objectif de Molière est double : il s'agit tout autant de dénoncer la fausse dévotion* que les balourds qui en sont les dupes. Autre raison, la dimension comique du personnage d'Orgon : le spectateur rit plus facilement de la dupe que du dupeur. Le véritable enjeu de la pièce est d'ailleurs le « désabusement d'Orgon », c'est-à-dire le passage de l'aveuglement à la lucidité, ainsi que le précise l'auteur anonyme de la *Lettre sur la Comédie de l'Imposteur*. Cette lettre, écrite en 1667, relate de manière élogieuse la deuxième version du *Tartuffe* : « Le désabusement d'Orgon est proprement le sujet de la pièce» ; on suppose que le philosophe La Mothe Le Vayer, un ami de Molière, en est l'auteur.

Molière-Orgon

Un autre indice confirme l'importance qu'il convient d'accorder au personnage d'Orgon : c'est Molière lui-même, le Molière acteur, qui s'est approprié et réservé le personnage d'Orgon et l'interprète devant le roi.

La femme de Molière, Armande Béjart, incarnait Elmire, la femme d'Orgon ; Béjart tenait le rôle de Madame Pernelle (les rôles de vieilles femmes étaient ordinairement attribués à des hommes). Et Tartuffe ? Le rôle fut donné à Du Croisy, un individu gros, sanguin, rougeaud. « Gros et gras, le teint frais, et la bouche vermeille » (vers 234), « Il a l'oreille rouge et le teint bien fleuri » (vers 647) : la description que donne Dorine de Tartuffe semble tout à fait correspondre à l'acteur lui-même !

Costumes et décor

L'inventaire après décès de Molière nous permet de connaître le costume dans lequel Molière interprétait Orgon : « L'habit de la représentation du *Tartuffe*, consistant en pourpoint, chausse et manteau de vénitienne noir, le manteau doublé de tabis [soie moirée] et garni de dentelles d'Angleterre, les jarretières et ronds de souliers pareillement garnis, prisé 60 livres. » À travers cette description vestimentaire, Orgon apparaît comme un grand bourgeois.

Nous connaissons également le décor dans lequel se jouait *Le Tartuffe*, grâce au *Mémoire* du décorateur de théâtre de l'Hôtel de Bourgogne, Laurent Mahelot (afin de respecter l'unité de lieu, le décor est impérativement fixe). Voici la description qu'il en donne : « Le théâtre est une chambre. Il faut deux fauteuils, une table, un tapis dessus, deux flambeaux, une batte » (Jean Serroy, «Les mises en scène du *Tartuffe*», *Le Tartuffe*, Gallimard, coll. « Folio théâtre », 1997).

Hypocrisie et théâtre

Tartuffe incarne la fausse dévotion*. Sous le nom de Tartuffe se présente donc un **hypocrite**. De quoi s'agit-il exactement ? Étymologiquement, ce terme signifie « acteur » et tardivement « fourbe ». L'hypocrite est donc, au sens propre, celui qui joue un rôle, donne la réplique. Les acteurs grecs portaient d'ailleurs un masque de terre cuite. Tartuffe est donc un comédien, qui joue un rôle devant Orgon et sa famille. Aussi la maison d'Orgon devient-elle un théâtre dans lequel Tartuffe interprète un rôle. Cette configuration n'est pas sans soulever un problème de représentation.

Comme jouer l'hypocrisie ?

L'acteur qui tient le rôle de Tartuffe incarne ainsi un personnage qui joue la comédie. Il doit par conséquent tout à la fois montrer que son personnage porte un masque (autrement dit qu'il simule) et rendre ce personnage crédible (il simule bien). Dans le cas contraire, ou bien le spectateur ne verra pas l'imposture de Tartuffe, ou bien il ne croira pas à l'aveuglement d'Orgon. Cet équilibre est d'autant plus délicat à trouver que Tartuffe, comme vous le verrez, porte le masque de la fausse dévotion en permanence. C'est seulement par ses discours, ses gestes et surtout par le discours que les autres personnages tiennent sur lui que Molière a laissé l'être du Tartuffe percer sous le paraître.

Avant de commencer votre lecture...

Un système de communication complexe

Le texte que vous allez lire est une pièce de théâtre, ce qui soulève un problème d'énonciation et de destination spécifique. « Dans le poème dramatique, il faut que le poète s'explique par la bouche des

Histoire et culture au temps de Molière

	Histoire	Culture	Vie et œuvre de Molière
1622	Richelieu nommé cardinal. Paix de Montpellier avec les huguenots.	Sorel : première édition de l'*Histoire comique de Francion*.	Naissance à Paris de Jean-Baptiste Poquelin.
1627	Fondation de la Compagnie du Saint-Sacrement.	Siège de La Rochelle.	
1635	Début de la guerre de Trente Ans.	Fondation de l'Académie française.	Humanités au Collège de Clermont (→1640).
1637		Corneille, *Le Cid*. Descartes, *Discours de la méthode*.	Son père obtient pour lui une charge de tapissier du roi.
1640	Création de l'Imprimerie royale au Louvre.	Corneille, *Horace*. Jansenius, *Augustinius*.	Études de droit à Orléans (→1642).
1643	Mort de Louis XIII. Régence d'Anne d'Autriche. Ministère de Mazarin (→1661).	Condamnation de l'*Augustinius*. Corneille, *La Mort de Pompée*.	Renonce à la charge de tapissier du roi. Fondation avec la famille Béjart de l'Illustre-Théâtre, troupe ambulante.
1644	Affaire du toisé.	Corneille, *Rodogune*. Invention par Pascal de la machine à calculer.	Ouverture de l'Illustre-Théâtre au Jeu de paume des Mestayers. Première apparition du pseudonyme Molière.
1645		Rotrou, *Saint Genest*.	Faillite de l'Illustre-Théâtre et départ pour la province (→1658).
1653	Condamnation du jansénisme par le pape. Fouquet nommé surintendant des Finances.	Lully nommé « compositeur de la musique instrumentale ». Scudéry, *Artamène ou Le Grand Cyrus*.	Accueil et protection à Pézenas par le prince de Conti : « Troupe de Monseigneur le prince de Conti » (→1657).
1655	Traité de Westminster avec Cromwell.	Scarron, *Les Hypocrites*.	Création à Lyon de *L'Étourdi*, première pièce de Molière.
1656	États du Languedoc. Création de l'Hôpital général à Paris.	Corneille, *L'Imitation de Jésus-Christ*. Première *Provinciale* de Pascal.	Première représentation du *Dépit amoureux* à Béziers.
1657	Début des travaux du château de Fouquet à Vaux-le-Vicomte.	D'Aubignac, *Pratique du théâtre*.	Fin de la protection de Conti, converti, à la troupe de Molière.
1658	Victoire des Dunes contre les Espagnols.	Nicolas Poussin, *La Naissance de Bacchus*.	Arrivée à Paris. Protection de Monsieur (frère du roi). Installation dans la salle du Petit-Bourbon.
1659	Paix des Pyrénées avec l'Espagne.	Corneille, *Œdipe*.	*Les Précieuses ridicules* : succès triomphal.
1660	La monarchie restaurée en Angleterre. Mariage de Louis XIV avec Marie-Thérèse.	Racine, *La Nymphe de la Seine à la Reine*.	*Sganarelle ou Le Cocu imaginaire*. Première apparition du personnage de Sganarelle.
1661	Mort de Mazarin.	Fondation de l'Académie royale	Installation dans la salle du Palais-Royal.

	Règne personnel de Louis XIV. Arrestation de Nicolas Fouquet.	de danse. Lully nommé « surintendant de la Musique du Roi ».	*Dom Garcie de Navarre*. *L'École des maris*. Première des *Fâcheux* à Vaux-le-Vicomte.
1662	Colbert ministre. Famines et émeutes dans le royaume.	Corneille, *Sertorius*. Bossuet, *Sermons sur les devoirs du Roi*.	Mariage avec Armande Béjart. *L'École des femmes*.
1663	Invasion de l'Autriche par les Turcs.	Le Brun nommé Premier peintre du roi. Corneille, *Sophosnibe*.	Querelle de *L'École des femmes*. *La Critique de l'École des femmes*. *L'Impromptu de Versailles*.
1664	Condamnation de Fouquet (bannissement).	Première pièce de Racine, *La Thébaïde* (représentée par la troupe de Molière). La Rochefoucauld, *Maximes*.	*Le Mariage forcé*. Représentations de *La Princesse d'Élide* et de *Tartuffe* (1) à Versailles. Début de la Querelle du *Tartuffe* : interdiction de la pièce. *Premier Placet* au roi.
1665	Colbert contrôleur général des Finances. Mort de Philippe IV d'Espagne.	Racine, *Alexandre le Grand*. Création du *Journal des savants*.	*Dom Juan* au Palais-Royal. La troupe de Molière devient « Troupe du Roi ». *L'Amour médecin* à Versailles. Brouille avec Racine.
1666	Mort de la reine mère Anne d'Autriche. Incendie de Londres. Guerre contre l'Angleterre.	Furetière, *Le Roman bourgeois*. Fondation de l'Académie des sciences.	*Le Misanthrope*. *Le Médecin malgré lui*. *Mélicerte*.
1667	Guerre de Dévolution (contre l'Espagne). Paix de Bréda.	Colbert élu à l'Académie française. Racine, *Andromaque*.	*Le Sicilien ou L'Amour peintre*. Représentation et interdiction de *Panulphe ou L'Imposteur*. (*Tartuffe* 2). *Second Placet* au roi.
1668	Fin de la guerre de Dévolution. Annexion de la Franche-Comté.	Racine, *Les Plaideurs*. La Fontaine, *Fables*.	*Amphitryon* au Palais-Royal. *Georges Dandin ou Le Mari confondu* à Versailles. *L'Avare*.
1669		Racine, *Britannicus*. La Fontaine, *Les Amours de Psyché et de Cupidon*.	***Tartuffe*** (3) enfin représenté. Succès. Mort du père de Molière. *Monsieur de Pourceaugnac*.
1670	Traité de Douvres entre la France et l'Angleterre. Mort de Madame.	Racine, *Bérénice*. Corneille, *Tite et Bérénice*. Pascal, *Pensées* (éd. posth.).	*Les Amants magnifiques*. *Le Bourgeois gentilhomme*.
1671	Préparatifs de la guerre contre les Provinces-Unies.	Début de la correspondance entre Mme de Sévigné et sa fille.	*Psyché*. *Les Fourberies de Scapin*. *La Comtesse d'Escarbagnas*. Mort de Madeleine Béjart.
1672	Déclaration de guerre de la France contre la Hollande.	Racine, *Bajazet*. Racine élu à l'Académie française.	*Les Femmes savantes*.
1673	Siège et prise de Maastricht.	Racine, *Mithridate*.	*Le Malade imaginaire*. Mort de Molière (17 fév.).

acteurs ; il ne peut employer d'autres moyens », écrit l'abbé d'Aubignac dans la *Pratique du théâtre*, en 1657. Une pièce de théâtre est en effet initialement écrite pour être jouée, non pour être lue. Le dialogue de théâtre suppose donc une situation de communication particulière qui pose le principe de la **double énonciation** (ce principe n'existe ni dans les romans ni en poésie). Cette situation de communication est complexe car elle se déploie sur deux niveaux. À un premier niveau, les personnages échangent entre eux un message, « les personnages parlent aux personnages » : il y a ainsi un énonciateur et un destinataire. Dans le même temps, à travers ce dialogue, l'auteur s'adresse au spectateur : c'est le second niveau de la situation de communication. Le théâtre est bien le monde de l'illusion : le langage dramatique y est double. Des personnages parlent entre eux, mais le destinataire réel reste le spectateur qui attend un message clair et informatif. Cette situation de communication est valable pour toutes les pièces de théâtre. Elle peut se compliquer davantage encore, lorsque sur la scène, les personnages se mettent à interpréter un rôle, à jouer : la destination du message devient triple, puisque des personnages sont transformés, le temps de cette représentation sur la scène, en spectateurs. C'est parfois le cas dans *Le Tartuffe*, comme vous le découvrirez bientôt (rendez-vous à l'acte IV !).

Fortune du *Tartuffe* - Fortune de Tartuffe

Enfin, cette pièce de théâtre est celle qui a marqué le sommet de la carrière de Molière. Son succès le 5 février 1669 ne s'est guère démenti et cette pièce reste à ce jour la plus jouée à la Comédie-Française. Pourquoi ? Si, pour le spectateur contemporain de Molière, Tartuffe représente un personnage tout à fait actuel et contemporain (ce que vous devez avoir toujours à l'esprit en étudiant la pièce), le faux dévot parasite et imposteur a toujours été (et reste) un type* littéraire, autrement dit un personnage universel.

Chaque époque a ses Tartuffes ! Les multiples transpositions historiques que les metteurs en scène ont élaborées en montant *Le Tartuffe* en témoignent. À vous, en vous plongeant dans *Le Tartuffe*, de saisir la dimension atemporelle de cette pièce et de chercher, pour mieux les confondre, les Tartuffes modernes…

Le Tartuffe

PRÉFACE

Voici une comédie dont on a fait beaucoup de bruit, qui a été longtemps persécutée ; et les gens qu'elle joue ont bien fait voir qu'ils étaient plus puissants en France que tous ceux que j'ai joués jusques ici. Les marquis, les précieuses, les cocus et les médecins ont souffert doucement qu'on les ait représentés, et ils ont fait semblant de se divertir, avec tout le monde, des peintures que l'on a faites d'eux ; mais les hypocrites n'ont point entendu raillerie ; ils se sont effarouchés d'abord[1], et ont trouvé étrange que j'eusse la hardiesse de jouer leurs grimaces[2] et de vouloir décrier un métier dont tant d'honnêtes gens se mêlent. C'est un crime qu'ils ne sauraient me pardonner ; et ils se sont tous armés contre ma comédie avec une fureur épouvantable. Ils n'ont eu garde de l'attaquer par le côté qui les a blessés : ils sont trop politiques[3] pour cela, et savent trop bien vivre pour découvrir le fond de leur âme. Suivant leur louable coutume, ils ont couvert leurs intérêts de la cause de Dieu ; et *Le Tartuffe,* dans leur bouche, est une pièce qui offense la

1. D'abord : sur-le-champ.
2. Grimaces : feintes, masques.
3. Politiques : adroits.

piété. Elle est, d'un bout à l'autre, pleine d'abominations, et l'on n'y trouve rien qui ne mérite le feu. Toutes les syllabes en sont impies; les gestes même y sont criminels; et le moindre coup d'œil, le moindre branlement de tête, le moindre pas à droite ou à gauche, y cache des mystères qu'ils trouvent moyen d'expliquer à mon désavantage. J'ai eu beau la soumettre aux lumières de mes amis, et à la censure de tout le monde, les corrections que j'ai pu faire, le jugement du roi et de la reine, qui l'ont vue, l'approbation des grands princes et de messieurs les ministres[1], qui l'ont honorée publiquement de leur présence, le témoignage des gens de bien, qui l'ont trouvée profitable, tout cela n'a de rien servi. Ils n'en veulent point démordre; et, tous les jours encore, ils font crier en public des zélés indiscrets, qui me disent des injures pieusement et me damnent par charité.

Je me soucierais fort peu de tout ce qu'ils peuvent dire, n'était l'artifice qu'ils ont de me faire des ennemis que je respecte, et de jeter dans leur parti de véritables gens de bien, dont ils préviennent[2] la bonne foi, et qui, par la chaleur qu'ils ont pour les intérêts du Ciel, sont faciles à recevoir les impressions qu'on veut leur donner. Voilà ce qui m'oblige à me défendre. C'est aux vrais dévots que je veux partout me justifier sur la conduite de ma comédie; et je les conjure de tout mon cœur de ne point condamner les choses avant que de les voir, de se défaire de toute prévention et de ne point servir la passion de ceux dont les grimaces les déshonorent.

Si l'on prend la peine d'examiner de bonne foi ma comédie, on verra sans doute que mes intentions y sont partout

1. Des grands princes et de messieurs les ministres : il s'agit de Monsieur, frère du roi, le prince de Condé, le duc d'Enghien, Madame, la princesse Palatine.
2. Préviennent : trompent.

innocentes, et qu'elle ne tend nullement à jouer les choses que l'on doit révérer; que je l'ai traitée avec toutes les précautions que me demandait la délicatesse de la matière et que j'ai mis tout l'art et tous les soins qu'il m'a été possible pour bien distinguer le personnage de l'hypocrite d'avec celui du vrai dévot. J'ai employé pour cela deux actes entiers à préparer la venue de mon scélérat. Il ne tient pas un seul moment l'auditeur en balance[1]; on le connaît d'abord aux marques que je lui donne; et d'un bout à l'autre il ne dit pas un mot, il ne fait pas une action, qui ne peigne aux spectateurs le caractère d'un méchant homme, et ne fasse éclater celui du véritable homme de bien que je lui oppose.

Je sais bien que, pour réponse, ces messieurs tâchent d'insinuer que ce n'est point au théâtre à parler de ces matières; mais je leur demande, avec leur permission, sur quoi ils fondent cette belle maxime. C'est une proposition qu'ils ne font que supposer et qu'ils ne prouvent en aucune façon; et sans doute il ne serait pas difficile de leur faire voir que la comédie, chez les Anciens, a pris son origine de la religion, et faisait partie de leurs mystères[2]; que les Espagnols, nos voisins, ne célèbrent guère de fête où la comédie ne soit mêlée, et que, même parmi nous, elle doit sa naissance aux soins d'une confrérie[3] à qui appartient encore aujourd'hui l'Hôtel de Bourgogne, que c'est un lieu qui fut donné pour y représenter les plus importants mystères de notre foi; qu'on en voit encore des comédies imprimées en

1. En balance : dans le doute.
2. Mystères : dans l'Antiquité, cérémonies en l'honneur d'une divinité. On emploie également ce terme pour nommer le genre dramatique d'inspiration religieuse.
3. Confrérie : il s'agit de la Confrérie de la Passion, fondée en 1402. Elle fit construire l'Hôtel de Bourgogne dans lequel les rivaux de Molière se produisaient.

lettres gothiques, sous le nom d'un docteur de Sorbonne ; et, sans aller chercher si loin, que l'on a joué de notre temps des pièces saintes de M. de Corneille[1], qui ont été l'admiration de toute la France.

Si l'emploi de la comédie est de corriger les vices des hommes, je ne vois pas pour quelle raison il y en aura de privilégiés. Celui-ci est, dans l'État, d'une conséquence bien plus dangereuse que tous les autres ; et nous avons vu que le théâtre a une grande vertu pour la correction. Les plus beaux traits d'une sérieuse morale sont moins puissants, le plus souvent, que ceux de la satire ; et rien ne reprend mieux la plupart des hommes que la peinture de leurs défauts. C'est une grande atteinte aux vices que de les exposer à la risée de tout le monde. On souffre aisément des répréhensions ; mais on ne souffre point la raillerie. On veut bien être méchant, mais on ne veut point être ridicule.

On me reproche d'avoir mis des termes de piété dans la bouche de mon Imposteur. Et pouvais-je m'en empêcher, pour bien représenter le caractère d'un hypocrite ? Il suffit, ce me semble, que je fasse connaître les motifs criminels qui lui font dire les choses, et que j'en aie retranché les termes consacrés[2], dont on aurait eu peine à lui entendre faire un mauvais usage. Mais il débite au quatrième acte une morale pernicieuse[3]. Mais cette morale est-elle quelque chose dont tout le monde n'eût les oreilles rebattues ? Dit-elle rien de nouveau dans ma comédie ? Et peut-on craindre que des choses si généralement détestées fassent quelque impression dans les esprits ; que je les rende dan-

1. Des pièces saintes de M. de Corneille : *Polyeucte, martyr* (1642) ; *Théodore, vierge et martyre* (1645).
2. Les termes consacrés : les paroles sacrées.
3. Morale pernicieuse : morale des casuistes.

gereuses en les faisant monter sur le théâtre; qu'elles reçoivent quelque autorité de la bouche d'un scélérat? Il n'y a nulle apparence à cela; et l'on doit approuver la comédie du *Tartuffe*, ou condamner généralement toutes les comédies.

C'est à quoi l'on s'attache furieusement depuis un temps, et jamais on ne s'était si fort déchaîné contre le théâtre[1]. Je ne puis pas nier qu'il n'y ait eu des Pères de l'Église qui ont condamné la comédie; mais on ne peut pas me nier aussi qu'il n'y en ait eu quelques-uns qui l'ont traitée un peu plus doucement. Ainsi l'autorité dont on prétend appuyer la censure est détruite par ce partage; et toute la conséquence qu'on peut tirer de cette diversité d'opinions en des esprits éclairés des mêmes lumières, c'est qu'ils ont pris la comédie différemment, et que les uns l'ont considérée dans sa pureté, lorsque les autres l'ont regardée dans sa corruption et confondue avec tous ces vilains spectacles qu'on a eu raison de nommer des spectacles de turpitude.

Et en effet, puisqu'on doit discourir des choses et non pas des mots, et que la plupart des contrariétés viennent de ne se pas entendre et d'envelopper dans un même mot des choses opposées, il ne faut qu'ôter le voile de l'équivoque et regarder ce qu'est la comédie en soi, pour voir si elle est condamnable. On connaîtra sans doute que, n'étant autre chose qu'un poème ingénieux qui, par des leçons agréables, reprend les défauts des hommes, on ne saurait la censurer sans injustice; et si nous voulons ouïr là-dessus le témoignage de l'Antiquité, elle nous dira que ses plus célèbres philosophes ont donné des louanges à la comédie, eux qui faisaient profession d'une sagesse si austère, et qui criaient sans cesse après les vices de leur siècle; elle nous fera voir

1. Théâtre : Allusion à la querelle du théâtre orchestrée par les milieux dévots.

qu'Aristote a consacré des veilles au théâtre, et s'est donné le soin de réduire en préceptes l'art de faire des comédies; elle nous apprendra que de ses plus grands hommes, et des premiers en dignité, ont fait gloire d'en composer eux-mêmes, qu'il y en a eu d'autres qui n'ont pas dédaigné de réciter en public celles qu'ils avaient composées, que la Grèce a fait pour cet art éclater son estime par les prix glorieux et par les superbes théâtres dont elle a voulu l'honorer, et que, dans Rome enfin, ce même art a reçu aussi des honneurs extraordinaires : je ne dis pas dans Rome débauchée, et sous la licence des empereurs, mais dans Rome disciplinée, sous la sagesse des consuls, et dans le temps de la vigueur de la vertu romaine.

J'avoue qu'il y a eu des temps où la comédie s'est corrompue. Et qu'est-ce que dans le monde on ne corrompt point tous les jours? Il n'y a chose si innocente où les hommes ne puissent porter du crime, point d'art si salutaire dont ils ne soient capables de renverser les intentions, rien de si bon en soi qu'ils ne puissent tourner à de mauvais usages. La médecine est un art profitable, et chacun la révère comme une des plus excellentes choses que nous ayons; et cependant il y a eu des temps où elle s'est rendue odieuse, et souvent on en a fait un art d'empoisonner les hommes. La philosophie est un présent du Ciel; elle nous a été donnée pour porter nos esprits à la connaissance d'un Dieu par la contemplation des merveilles de la nature; et pourtant on n'ignore pas que souvent on l'a détournée de son emploi, et qu'on l'a occupée publiquement à soutenir l'impiété. Les choses même les plus saintes ne sont point à couvert de la corruption des hommes; et nous voyons des scélérats qui, tous les jours, abusent de la piété, et la font servir méchamment aux crimes les plus grands. Mais on ne laisse pas pour cela de faire les distinctions qu'il est besoin de faire. On n'enveloppe point, dans une fausse conséquence, la bonté des choses que l'on corrompt avec la malice des corrupteurs. On sépare toujours le mauvais usage d'avec l'intention de l'art ; et comme on ne s'avise point de défendre la médecine pour avoir été bannie de Rome, ni la philosophie, pour avoir été condamnée publiquement dans Athènes[1], on ne doit point aussi vouloir interdire la comédie, pour avoir été censurée en de certains temps. Cette censure a eu ses raisons, qui ne subsistent point ici. Elle s'est renfermée dans ce qu'elle a pu voir ; et nous ne devons point la tirer des bornes qu'elle s'est données, l'étendre plus loin qu'il ne faut, et lui faire embrasser l'innocent avec le coupable. La comédie qu'elle a eu dessein d'attaquer n'est point du tout la comédie que nous voulons défendre. Il se faut bien garder de confondre celle-là avec celle-ci. Ce sont deux personnes de qui les mœurs sont tout à fait opposées. Elles n'ont aucun rapport l'une avec l'autre que la ressemblance du nom ; et ce serait une injustice épouvantable que de vouloir condamner Olympe, qui est femme de bien, parce qu'il y a eu une Olympe qui a été une débauchée. De semblables arrêts, sans doute, feraient un grand désordre dans le monde. Il n'y aurait rien par là qui ne fût condamné ; et puisque l'on ne garde point cette rigueur à tant de choses dont on abuse tous les jours, on doit bien faire la même grâce à la comédie, et approuver les pièces de théâtre où l'on verra régner l'instruction et l'honnêteté.

Je sais qu'il y a des esprits, dont la délicatesse ne peut souffrir aucune comédie, qui disent que les plus honnêtes sont les plus dangereuses ; que les passions que l'on y

1. La philosophie, pour avoir été condamnée publiquement dans Athènes : allusion à la condamnation de Socrate.

dépeint sont d'autant plus touchantes qu'elles sont pleines de vertu, et que les âmes sont attendries par ces sortes de représentations. Je ne vois pas quel grand crime c'est que de s'attendrir à la vue d'une passion honnête; et c'est un haut étage de vertu que cette pleine insensibilité où ils veulent faire monter notre âme. Je doute qu'une si grande perfection soit dans les forces de la nature humaine; et je ne sais s'il n'est pas mieux de travailler à rectifier et adoucir les passions des hommes, que de vouloir les retrancher entièrement. J'avoue qu'il y a des lieux qu'il vaut mieux fréquenter que le théâtre; et si l'on veut blâmer toutes les choses qui ne regardent pas directement Dieu et notre salut, il est certain que la comédie en doit être, et je ne trouve point mauvais qu'elle soit condamnée avec le reste. Mais supposé, comme il est vrai, que les exercices de la piété souffrent des intervalles et que les hommes aient besoin de divertissement, je soutiens qu'on ne leur en peut trouver un qui soit plus innocent que la comédie. Je me suis étendu trop loin. Finissons par un mot d'un grand prince[1] sur la comédie du *Tartuffe*.

Huit jours après qu'elle eut été défendue, on représenta devant la Cour une pièce intitulée *Scaramouche ermite,* et le roi, en sortant, dit au grand prince que je veux dire : «Je voudrais bien savoir pourquoi les gens qui se scandalisent si fort de la comédie de Molière ne disent mot de celle de *Scaramouche.*» À quoi le prince répondit : «La raison de cela, c'est que la comédie de *Scaramouche* joue le Ciel et la religion, dont ces messieurs-là ne se soucient point; mais celle de Molière les joue eux-mêmes; c'est ce qu'ils ne peuvent souffrir.»

1. Un grand prince : Condé, frère de Conti et défenseur du *Tartuffe*.

LE LIBRAIRE AU LECTEUR

Comme les moindres choses qui partent de la plume de M. de Molière ont des beautés que les plus délicats ne se peuvent lasser d'admirer, j'ai cru ne devoir pas négliger l'occasion de vous faire part de ces placets, et qu'il était à propos de les joindre au Tartuffe, *puisque partout il y est parlé de cette incomparable pièce.*

PLACETS AU ROI

PREMIER PLACET

PRÉSENTÉ AU ROI, SUR LA COMÉDIE DU *TARTUFFE*

SIRE,

Le devoir de la comédie étant de corriger les hommes en les divertissant, j'ai cru que, dans l'emploi où je me trouve[1],

1. L'emploi où je me trouve : à cette époque, Molière est officiellement auteur comique. Sa troupe est Troupe de Monsieur, frère du roi.

je n'avais rien de mieux à faire que d'attaquer par des peintures ridicules les vices de mon siècle; et comme l'hypocrisie sans doute en est un des plus en usage, des plus incommodes et des plus dangereux, j'avais eu, Sire, la pensée que je ne rendrais pas un petit service à tous les honnêtes gens de votre royaume, si je faisais une comédie qui décriât les hypocrites, et mît en vue, comme il faut, toutes les grimaces étudiées de ces gens de bien à outrance, toutes les friponneries couvertes de ces faux-monnayeurs en dévotion, qui veulent attraper les hommes avec un zèle contrefait et une charité sophistique[1].

Je l'ai faite, Sire, cette comédie, avec tout le soin, comme je crois, et toutes les circonspections que pouvait demander la délicatesse de la matière; et pour mieux conserver l'estime et le respect qu'on doit aux vrais dévots, j'en ai distingué le plus que j'ai pu le caractère que j'avais à toucher[2]; je n'ai point laissé d'équivoque, j'ai ôté ce qui pouvait confondre le bien avec le mal, et ne me suis servi, dans cette peinture, que des couleurs expresses et des traits essentiels qui font reconnaître d'abord un véritable et franc hypocrite.

Cependant toutes mes précautions ont été inutiles. On a profité, Sire, de la délicatesse de votre âme sur les matières de religion, et l'on a su vous prendre par l'endroit seul que vous êtes prenable, je veux dire par le respect des choses saintes. Les tartuffes, sous main, ont eu l'adresse de trouver grâce auprès de Votre Majesté, et les originaux, enfin, ont fait supprimer la copie, quelque innocente qu'elle fût, et quelque ressemblante qu'on la trouvât.

Bien que ce m'ait été un coup sensible que la suppression de cet ouvrage, mon malheur pourtant était adouci par la

1. Sophistique : fausse.
2. Toucher : peindre.

manière dont Votre Majesté s'était expliquée sur ce sujet, et j'ai cru, Sire, qu'elle m'ôtait tout lieu de me plaindre, ayant eu la bonté de déclarer qu'elle ne trouvait rien à dire dans cette comédie qu'elle me défendait de produire en public.

Mais malgré cette glorieuse déclaration du plus grand roi du monde et du plus éclairé, malgré l'approbation encore de monsieur le légat[1] et de la plus grande partie de nos prélats[2], qui tous, dans des lectures particulières que je leur ai faites de mon ouvrage, se sont trouvés d'accord avec les sentiments de Votre Majesté, malgré tout cela, dis-je, on voit un livre composé par le curé de...[3], qui donne hautement un démenti à tous ces augustes témoignages. Votre Majesté a beau dire, et M. le légat et MM. les prélats ont beau donner leur jugement, ma comédie, sans l'avoir vue, est diabolique, et diabolique mon cerveau; je suis un démon vêtu de chair et habillé en homme, un libertin[4], un impie digne d'un supplice exemplaire. Ce n'est pas assez que le feu expie en public mon offense, j'en serais quitte à trop bon marché; le zèle charitable de ce galant homme de bien n'a garde de demeurer là : il ne veut point que j'aie de miséricorde auprès de Dieu, il veut absolument que je sois damné, c'est une affaire résolue.

Ce livre, Sire, a été présenté à Votre Majesté; et sans doute elle juge bien elle-même combien il m'est fâcheux de me voir exposé tous les jours aux insultes de ces messieurs, quel tort me feront dans le monde de telles calomnies, s'il faut qu'elles soient tolérées; et quel intérêt j'ai enfin à me

1. Monsier le légat : cardinal Chigi, délégué du pape et envoyé en mission auprès de Louis XIV.
2. Prélats : dignitaires de l'Église de France.
3. Un livre composé par le curé de... : *Le Roi glorieux*, composé par l'abbé Pierre Roullé, de la paroisse Saint-Barthélemy de Paris.
4. Libertin : libre penseur qui ne suit pas les lois de la religion.

purger[1] de son imposture, et à faire voir au public que ma comédie n'est rien moins que ce qu'on veut qu'elle soit. Je ne dirai point, Sire, ce que j'avais à demander pour ma réputation, et pour justifier à tout le monde l'innocence de mon ouvrage : les rois éclairés comme vous n'ont pas besoin qu'on leur marque ce qu'on souhaite; ils voient, comme Dieu, ce qu'il nous faut, et savent mieux que nous ce qu'ils nous doivent accorder. Il me suffit de mettre mes intérêts entre les mains de Votre Majesté, et j'attends d'elle avec respect tout ce qu'il lui plaira d'ordonner là-dessus.

SECOND PLACET

PRÉSENTÉ AU ROI, DANS SON CAMP DEVANT LA VILLE DE LILLE EN FLANDRE

SIRE,

C'est une chose bien téméraire à moi que de venir importuner un grand monarque au milieu de ses glorieuses conquêtes; mais, dans l'état où je me vois, où trouver, Sire, une protection qu'au lieu où je la viens chercher? et qui puis-je solliciter, contre l'autorité de la puissance qui m'accable[2], que la source de la puissance et de l'autorité, que le juste dispensateur des ordres absolus, que le souverain juge et le maître de toutes choses?

Ma comédie, Sire, n'a pu jouir ici des bontés de Votre Majesté. En vain je l'ai produite sous le titre de *L'Imposteur*, et déguisé le personnage sous l'ajustement d'un

1. Me purger : faire connaître que je suis innocent.
2. La puissance qui m'accable : Lamoignon, président du Parlement de Paris et membre de la Compagnie du Saint-Sacrement.

homme du monde[1]; j'ai eu beau lui donner un petit chapeau, de grands cheveux, un grand collet, une épée, et des dentelles sur tout l'habit, mettre en plusieurs endroits des adoucissements, et retrancher avec soin tout ce que j'ai jugé capable de fournir l'ombre d'un prétexte aux célèbres originaux du portrait que je voulais faire : tout cela n'a de rien servi. La cabale s'est réveillée aux simples conjectures qu'ils ont pu avoir de la chose. Ils ont trouvé moyen de surprendre[2] des esprits qui, dans toute autre matière, font une haute profession de ne se point laisser surprendre. Ma comédie n'a pas plus tôt paru, qu'elle s'est vue foudroyée par le coup d'un pouvoir qui doit imposer du respect; et tout ce que j'ai pu faire en cette rencontre, pour me sauver moi-même de l'éclat de cette tempête, c'est de dire que Votre Majesté avait eu la bonté de m'en permettre la représentation, et que je n'avais pas cru qu'il fût besoin de demander cette permission à d'autres, puisqu'il n'y avait qu'elle seule qui me l'eût défendue.

Je ne doute point, Sire, que les gens que je peins dans ma comédie ne remuent bien des ressorts[3] auprès de Votre Majesté, et ne jettent dans leur parti, comme ils ont déjà fait, de véritables gens de bien, qui sont d'autant plus prompts à se laisser tromper qu'ils jugent d'autrui par eux-mêmes. Ils ont l'art de donner de belles couleurs à toutes leurs intentions. Quelque mine qu'ils fassent, ce n'est point du tout l'intérêt de Dieu qui les peut émouvoir; ils l'ont assez montré dans les comédies qu'ils ont souffert qu'on ait jouées tant de fois en public sans en dire le moindre mot. Celles-là

1. Un homme du monde : Il s'agit de Panulphe, héros de la seconde version du *Tartuffe*.
2. Surprendre : abuser, induire en erreur.
3. Ne remuent bien des ressorts : ne complotent, ne manigancent.

n'attaquaient que la piété et la religion, dont ils se soucient fort peu, mais celle-ci les attaque et les joue eux-mêmes, et c'est ce qu'ils ne peuvent souffrir. Ils ne sauraient me pardonner de dévoiler leurs impostures aux yeux de tout le monde; et sans doute on ne manquera pas de dire à Votre Majesté que chacun s'est scandalisé de ma comédie. Mais la vérité pure, Sire, c'est que tout Paris ne s'est scandalisé que de la défense qu'on en a faite, que les plus scrupuleux en ont trouvé la représentation profitable, et qu'on s'est étonné que des personnes d'une probité si connue aient eu une si grande déférence pour des gens qui devraient être l'horreur de tout le monde et sont si opposés à la véritable piété dont elles font profession.

J'attends avec respect l'arrêt que Votre Majesté daignera prononcer sur cette matière; mais il est très assuré, Sire, qu'il ne faut plus que je songe à faire des comédies si les Tartuffes ont l'avantage, qu'ils prendront droit par là de me persécuter plus que jamais, et voudront trouver à redire aux choses les plus innocentes qui pourront sortir de ma plume.

Daignent vos bontés, Sire, me donner une protection contre leur rage envenimée; et puissé-je, au retour d'une campagne si glorieuse, délasser Votre Majesté des fatigues de ses conquêtes, lui donner d'innocents plaisirs après de si nobles travaux, et faire rire le monarque qui fait trembler toute l'Europe!

TROISIÈME PLACET

PRÉSENTÉ AU ROI

SIRE,

Un fort honnête médecin[1], dont j'ai l'honneur d'être le malade, me promet et veut s'obliger par-devant notaires de me faire vivre encore trente années, si je puis lui obtenir une grâce de Votre Majesté. Je lui ai dit, sur sa promesse, que je ne lui demandais pas tant, et que je serais satisfait de lui pourvu qu'il s'obligeât de ne me point tuer. Cette grâce, Sire, est un canonicat[2] de votre chapelle royale de Vincennes, vacant par la mort de…

Oserais-je demander encore cette grâce à Votre Majesté, le propre jour de la grande résurrection de *Tartuffe,* ressuscité par vos bontés ? Je suis, par cette première faveur, réconcilié avec les dévots ; et je le serais, par cette seconde, avec les médecins. C'est pour moi sans doute trop de grâce à la fois ; mais peut-être n'en est-ce pas trop pour Votre Majesté ; et j'attends, avec un peu d'espérance respectueuse, la réponse de mon placet.

1. Médecin : M. de Mauvillain.
2. Canonicat : Office de chanoine. M. de Mauvillain cherche à l'obtenir pour son fils.

Acteurs

MADAME PERNELLE, *mère d'Orgon.*

ORGON, *mari d'Elmire.*

ELMIRE, *femme d'Orgon.*

DAMIS, *fils d'Orgon.*

MARIANE, *fille d'Orgon et amante de Valère.*

VALÈRE, *amant de Mariane.*

CLÉANTE, *beau-frère d'Orgon.*

TARTUFFE, *faux dévot.*

DORINE, *suivante de Mariane.*

MONSIEUR LOYAL, *sergent.*

UN EXEMPT.

FLIPOTE, *servante de Madame Pernelle.*

La scène est à Paris.

Arrêt sur lecture 1

Le paratexte d'une pièce de théâtre au XVIIe siècle

Tous les éléments que vous venez de lire et qui se trouvent en amont du texte lui-même – le titre, la préface, les trois placets* au roi, la liste des personnages – appartiennent à l'édition du *Tartuffe* et ont pour fonction d'entourer et d'escorter le texte de la pièce proprement dit. Ils constituent ce que l'on appelle communément le paratexte*. Ce néologisme est construit avec le préfixe « para » (du grec, *para*, « à côté de ») et signifie par conséquent, ce qui est à côté, en marge du texte. Au XVIIe siècle, ce sont les auteurs eux-mêmes qui rédigent ces éléments du paratexte* (vous noterez qu'aujourd'hui nombre des préfaces, avant-propos, etc., sont écrits par des personnes qui ne sont pas les auteurs eux-mêmes). Le paratexte* a pour fonction essentielle d'armer le lecteur et de le préparer à une lecture pertinente du texte qu'il est sur le point de découvrir.

Le paratexte* qui accompagne les pièces de théâtre au XVIIe siècle a une double spécificité. D'une part, ces textes sont écrits au

LE

TARTVFFE,

OV

L'IMPOSTEVR,

COMEDIE.

PAR I. B. P. DE MOLIERE.

Imprimé aux deſpens de l'Autheur, & ſe vend

A PARIS,

Chez IEAN RIBOV, au Palais, vis-à-vis la Porte de l'Egliſe de la Sainte Chapelle, à l'Image S. Loüis.

M. DC. LXIX.

AVEC PRIVILEGE DV ROY.

Premier contact du lecteur avec la pièce : qu'apprend-il qui peut lui être utile par la suite ?

moment de la publication. En effet, au XVIIe siècle, une pièce de théâtre est d'abord représentée, c'est-à-dire jouée devant un public, avant d'être imprimée et c'est d'ailleurs son succès (ou non) qui conditionne son accès (ou non) à une version imprimée. Les éléments du paratexte* (à l'exception du titre) sont donc écrits *a posteriori*. Cette situation est extrêmement confortable puisqu'elle permet au dramaturge de justifier (en général dans la préface) ses choix; elle lui permet également de se glorifier du succès que sa pièce a connu ou de répondre aux critiques qui ont éventuellement été formulées au moment de sa représentation. Cette situation est systématique : vous pourrez la vérifier pour l'ensemble des pièces du théâtre classique que vous avez déjà étudiées ou que vous étudierez. D'autre part, et cela est vrai pour toute époque, le paratexte* qui entoure une pièce de théâtre (à l'exception du titre) n'est accessible qu'au lecteur, le spectateur n'y a jamais accès au cours de la représentation. Le paratexte* permet ainsi de lire une pièce de théâtre qui a pour fonction première d'être vue.

L'état civil de la pièce

On peut considérer le titre, le sous-titre et le genre d'une pièce de théâtre comme des éléments qui constituent l'« état civil » du texte en question. Le titre d'une pièce de théâtre (comme de tout texte) est un élément du paratexte* fondamental puisque sa fonction première est une fonction d'**identification** : le titre est là pour permettre de nommer la pièce de théâtre. Deux autres fonctions lui sont par ailleurs assignées : une fonction d'**information** : délivrer quelques renseignements sur la pièce, donner des indices en somme, ainsi qu'une fonction de **séduction** : attirer le spectateur ou le lecteur, aiguiser sa curiosité et ainsi lui donner envie soit d'assister à la représentation soit de se plonger dans la lecture de la pièce.

À chaque version son état civil

Qu'en est-il du titre et du sous-titre de la pièce que nous étudions ? Au moment de la fête royale donnée à Versailles en mai 1664, la première version de la pièce que représentent Molière et sa troupe s'intitule *Tartuffe ou L'Hypocrite*. La deuxième version, celle de 1667, s'intitule en revanche *L'Imposteur* : il s'agit d'une version adoucie, le personnage du faux dévot ne s'appelle plus Tartuffe mais Panulphe. En 1669, Molière intitule la version définitive de sa pièce, *Le Tartuffe ou L'Imposteur*. Il reprend, peut-être par défi, sans doute par obstination, le nom originel de son héros. Trois titres différents pour trois versions différentes… on voit combien le titre peut constituer un enjeu important pour une pièce de théâtre, et le nom de son principal protagoniste plus encore.

Tartuffe, Le Tartuffe, une différence fondamentale

Le Tartuffe ou L'Imposteur, donc. Au XVIIe siècle, les titres des pièces de théâtre sont souvent éponymes, c'est-à-dire que le titre de la pièce correspond au nom du héros ou de l'héroïne, par exemple *Phèdre* de Racine ou bien *Dom Juan* de Molière. La pièce que vous avez entre les mains possède-t-elle un tel titre ? On répondrait par l'affirmative si la pièce s'intitulait *Tartuffe* – comme c'est le cas pour la première version. Or, elle s'intitule *Le Tartuffe*. La présence de ce déterminant indique que le mot Tartuffe est devenu en cinq ans à la fois le nom d'un personnage et un type* d'individu particulier. Molière a transformé un nom propre en nom commun, en substantif qui caractérise alors un certain type de comportement et d'attitude.

Qui est Tartuffe ? un tartuffe, c'est-à-dire un individu faux dévot, hypocrite et imposteur. Notez que ce phénomène est arrivé – beau-

L'allégorie de l'hypocrisie sous le costume de Tartuffe : Quel élément graphique principal trahit le personnage sur cette gravure anonyme ?

coup plus tardivement – pour un autre personnage de l'œuvre moliéresque… Dom Juan. Il faut donc rapprocher le titre de cette pièce non pas des pièces à titre éponyme de Molière (*Sganarelle ou Le Cocu imaginaire*; *Georges Dandin…*), mais bien des pièces telles que *Le Misanthrope*, *L'Avare* ou *Le Malade imaginaire* qui s'intéressent à un caractère particulier.

Qu'en est-il alors du sous-titre ? En général, le sous-titre suit un titre éponyme et délivre une information supplémentaire : il est là pour expliciter un nom propre beaucoup trop vague, qui n'évoque pas grand-chose au spectateur ou au lecteur. On en trouve quelques-uns dans l'œuvre de Molière, par exemple *Sganarelle ou Le Cocu imaginaire*, *Dom Garcie de Navarre ou Le Prince jaloux*, *Dom Juan ou Le Festin de pierre*. Or, le sous-titre ici suit un titre déjà bien explicite et bien « parlant », et le sous-titre de ce fait ne remplit plus sa fonction informative mais devient au contraire répétition, pléonasme. C'est d'ailleurs pourquoi la postérité s'est empressée de l'oublier et il est bien souvent absent des pages de titre des éditions modernes. Notons néanmoins un changement important : le sous-titre n'est plus *L'Hypocrite*, mais bien *L'Imposteur*. Molière, prudent, insiste davantage sur les effets sociaux du personnage que sur sa fausse dévotion*. Tartuffe est un nom à ce point entré dans le langage courant que Molière l'emploie sans majuscule et au pluriel dans le premier *Placet* au Roi* pour désigner les dévots qui ont organisé la cabale* contre lui : il les nomme « les tartuffes » ; et dans sa pièce même, on le retrouve sous la forme d'un dérivé (v. 674 « Non, vous serez, ma foi ! tartuffiée ») au sens de « mariée à Tartuffe ». On le trouvera désormais en littérature, par exemple dans la fable de Jean de La Fontaine intitulée « Le Chat et le Renard » : « C'étaient deux vrais tartufs, deux archipatelins. » La modification de l'orthographe s'explique pour des raisons de métrique.

Autre élément obligatoire du paratexte*, la mention du genre de la pièce suit immédiatement le titre et indique l'issue de l'intrigue*, issue malheureuse lorsqu'il s'agit d'une tragédie, heureuse lorsqu'il s'agit d'une comédie*. Au XVIIe siècle, « comédie » a le sens ancien de « pièce de théâtre », sans distinction de genre. Mais ce terme a également le sens que nous lui connaissons aujourd'hui, c'est-à-dire genre théâtral comique par opposition aux genres de la tragédie ou de la tragi-comédie… Molière emploie le plus souvent « comédie » dans son sens premier, mais il lui arrive également de profiter de l'ambivalence de ce terme et de ne parler ainsi que du genre dont il s'occupe. Soyez attentif quand vous rencontrez ce mot et interrogez-vous systématiquement sur le sens que Molière lui a donné.

Les trois placets au roi et la préface

Les trois placets* sont insérés dès la première réédition de la pièce, en juin 1669, à la suite de la préface triomphaliste de Molière. Un placet* est un écrit qu'on envoie à un personnage important, en général un souverain ou un ministre, dans le but d'obtenir une grâce ou une faveur : le mot vient du latin *placeat*, « qu'il plaise », parce que ces écrits commencent généralement par « Plaise au Roi, à Monsieur le Président... »

Les trois placets* sont ici des discours adressés au roi; Molière en écrit un après chaque version du *Tartuffe*. Le lecteur peut donc suivre les différentes étapes de la querelle du *Tartuffe* en lisant chronologiquement les trois placets*. Molière adresse son premier placet* au roi fin août 1664, afin de lui demander d'intervenir et en appelle à lui dans la querelle qui vient d'éclater – la cabale* des dévots a commencé avant même la première représentation de la pièce – autour de son *Tartuffe*.

Dans le deuxième placet* (il est vraisemblable qu'il ne soit jamais parvenu entre les mains de son destinataire), Molière demande à Louis XIV d'intervenir de nouveau. En effet, la deuxième version de son *Tartuffe* a été interdite par le président Lamoignon, chargé de la police de Paris en l'absence du roi et... comme c'est étrange! membre lui-même de la Compagnie du Saint-Sacrement. Or, cette interdiction s'est faite en dépit de la volonté royale : Louis XIV avait donné à Molière un accord verbal avant de partir pour les Flandres.

Enfin, le troisième placet*, écrit après que Molière a obtenu l'autorisation royale de représenter *Tartuffe*, est donné au roi le jour même de la représentation – triomphale – de la troisième version du *Tartuffe*. Il s'agit par conséquent d'un remerciement au roi : Molière a gagné.

La préface, quant à elle, est un discours spécialement rédigé à l'occasion de l'édition de la pièce. La publication du *Tartuffe* est d'ailleurs très rapide : *Le Tartuffe* est représenté le 5 février 1669, la pièce paraît en librairie le 23 mars 1669. Le temps qui sépare la première représentation de l'édition est ici extrêmement court, quelques semaines à peine; ce délai est à cette époque en général plus long. La préface, qui s'adresse cette fois aux lecteurs, témoigne alors du triomphe de Molière sur ses détracteurs.

Il est intéressant d'examiner ensemble ces quatre textes, puisqu'ils rendent compte, chacun à sa manière, des réactions «à chaud» de Molière aux différents moments de la querelle. Remarquez néanmoins d'emblée la différence de statut entre ces textes : si les placets* sont des requêtes (Molière implore l'intervention et la protection royales, il est en position de faiblesse), la préface, en revanche, manifeste la victoire de Molière : il a pris le dessus sur ses ennemis. La préface met par conséquent un point final à la querelle et laisse à Molière le dernier mot. C'est d'ailleurs pour cela que le discours de Molière évolue entre les deux premiers placets*, centrés autour de considérations politiques, le troisième placet*, remerciement au roi somme toute un peu cavalier, et la préface, qui insiste sur les enjeux du théâtre, les droits et les devoirs du poète dramatique. Cette préface est d'ailleurs la plus longue de l'œuvre de Molière : il commence par rappeler dans des termes à peu près identiques à ceux des placets* (vous pouvez vous-même les repérer en comparant les différents textes) la cabale* dont il a été la victime, puis il concentre son propos sur le véritable enjeu, le débat qui fait rage autour de la moralité du théâtre.

La liste des «acteurs»

La liste des acteurs appartient aux didascalies* : les didascalies regroupent toutes les informations et indications de mise en scène qui ne seront pas lues sur scène mais qui en revanche seront représentées. Ce terme d'origine grecque n'existe pas au XVIIe siècle, on ne le trouve dans aucun dictionnaire de l'époque; pour autant la notion existe et on trouve bien évidemment des didascalies dans les éditions originales. Les didascalies se trouvent généralement à l'intérieur du texte : la liste des acteurs (ainsi que l'indication du lieu où se déroule la scène) est une didascalie un peu à part puisqu'elle est la seule placée avant le texte. Cette liste est intéressante de deux points de vue : d'une part parce qu'elle nous fournit le nom des personnages, d'autre part parce qu'elle nous donne des informations sur les forces en présence.

Dis-moi comment tu t'appelles, je te dirai qui tu es

Alors que, dans la tragédie classique, les noms des personnages sont le plus souvent empruntés à l'histoire antique ou à la mythologie (Britannicus, Œdipe...), la comédie* jouit d'une plus grande liberté et les noms varient suivant les modes et les temps. Il existe néanmoins une tradition pour la comédie* classique et une sorte de codification des noms utilisés : les noms propres parlent et ont pour fonction de délivrer déjà des informations au spectateur et au lecteur, par exemple sur le caractère du personnage ou bien sur son statut social. Ainsi, Géronte (en grec, « le vieux ») est souvent un nom de père âgé (on le trouve dans *Les Fourberies de Scapin*, il est effectivement le père de Léandre); Scapin (*Les Fourberies de Scapin*) appartient à la famille des serviteurs d'origine italienne; Sganarelle (nom créé par Molière et qui connut un grand succès) est tantôt un valet (*Le Médecin volant, Dom Juan*), tantôt un vieillard ridicule (*Sganarelle ou Le Cocu imaginaire, Le Médecin malgré lui...*); Monsieur Dimanche (*Dom Juan*) et Monsieur Jourdain (*Le Bourgeois gentilhomme*) incarnent traditionnellement des bourgeois. On reconnaît les servantes et les suivantes dans les comédies* classiques au fait qu'elles n'ont souvent droit qu'à un prénom, par exemple Claudine (*George Dandin ou Le Mari confondu*), voire un surnom, comme Toinette (diminutif d'Antoinette) dans *Le Malade imaginaire*.

On appelle l'étude des noms propres, et plus spécialement celle des noms de personnes, l'onomastique*. En littérature, cette étude est très importante. Ayez toujours à l'esprit que l'auteur ne choisit jamais les noms de ses personnages au hasard mais que c'est toujours le fruit d'une longue réflexion. Il faut distinguer ce qu'on appelle les noms d'harmonie (le nom du personnage correspond à son caractère ou à son statut social) et les noms d'ironie (il existe un fort décalage entre le nom du personnage et son caractère ; le personnage porte en quelque sorte un nom qui ne lui va pas du tout).

Les noms construits – Commençons par Tartuffe. Molière n'a pas inventé le nom de Tartuffe. On trouve des traces de ce nom dès le début du siècle, dans un pamphlet de 1609 écrit par le curé Antoine Fusy et intitulé *Le Mastigophore* : « Tu n'es qu'un tartuffe, qu'un butor [un rustre], qu'une happelourde [une pièce fausse]. » Inséré dans une série d'invectives et d'insultes, le nom de Tartuffe porte bien en lui une connotation péjorative. Pour autant, l'origine de ce mot reste floue. Tartuffe semble venir directement de l'italien *tartufo*, qui signifie « la truffe » et qui prend par extension le sens de « fourbe ». Par ailleurs, il pourrait venir du bas latin *truffa* indiquant « la fraude » et c'est ce même mot avec un sens identique qu'on trouve au XVIe siècle dans le *Quart Livre* de Rabelais (1552) : « Halas, halas ! mon amy, nostre voisin, comment vous sçavez bien truffer des paouvres gens ! » Enfin, en grec, *truphè* signifie la mollesse et évoque l'idée de simulation et de vie molle et sensuelle. Quelle que soit l'origine exacte de ce mot, vous pouvez constater que toutes ces étymologies donnent déjà une idée assez précise du personnage de Tartuffe. Par ailleurs, on note un effet de sonorité particulier dans le nom Tartuffe avec la sonorité spécifique de la syllabe « uf » qui évoque la fausseté, voire la sournoiserie. On retrouve aussi cette sonorité dans les noms des personnages d'hypocrite qu'ont peints les contemporains de Molière : Onuphre dans *Les Caractères* de La Bruyère, Montufar dans *Les Hypocrites* de Scarron. On la trouve également dans Panulphe, nom du principal protagoniste de la deuxième version du *Tartuffe*.

L'origine du nom Orgon est beaucoup plus simple : Orgon vient du grec *orgè*, « la colère ». Il caractérise donc un personnage colérique, irascible, que la colère, vous le verrez bien vite, pousse souvent jusqu'au plus total aveuglement, à l'entêtement le plus stupide et à la plus parfaite mauvaise foi. En outre, la finale « on » de son nom n'est pas sans rappeler celle des personnages de la *Commedia dell'arte* : son nom fait d'emblée songer à un personnage de farce*.

Elmire vient de l'espagnol *El mira*, « l'admirable », c'est-à-dire celle qui est digne d'admiration, par son comportement et sa sagesse. Ce nom se trouve fréquemment dans les comédies d'intrigue espagnoles. Par son nom, Elmire apparaît immédiatement comme un personnage sympathique et positif.

Les noms à consonance grecque – Cléante et Damis sont deux noms à consonance grecque. Le premier est celui d'un philosophe grec stoïcien (Cléanthe, IVe siècle av. J.-C.). Il incarne effectivement quelqu'un qui raisonne, qui adopte une attitude réfléchie et sensée. Le nom de Damis, qui n'est pas sans rappeler par la sonorité deux célèbres héros grecs, Pâris (*L'Iliade*) et Daphnis (*Daphnis et Chloé*), apparaît dans une autre comédie* de Molière, *Les Fâcheux* (1661).

Les noms français – Madame Pernelle est un personnage que le nom qualifie (et même disqualifie) d'emblée. Pernelle vient de la contraction de « péronnelle », nom de l'héroïne d'une vieille chanson du XVe siècle. Rapidement devenu une insulte, ce terme désigne une femme sotte et bavarde. Au temps de Molière, l'expression *chanter la péronnelle* signifie « dire des sottises » et on appelle péronnelle toute femme importune, ennuyeuse, voire acariâtre. Le nom même de la mère d'Orgon jette donc le doute et le discrédit sur ses propos. À l'inverse d'Elmire, elle est spontanément dans l'esprit du spectateur et du lecteur un personnage antipathique et négatif.

Le nom de Valère est très fréquemment utilisé dans la comédie* classique pour désigner le jeune premier, l'amant (amant signifie, au XVIIe siècle, « celui qui aime et est aimé »). Le nom de Valère renvoie à un personnage conventionnel de jeune homme séduisant qui voit momentanément ses amours et ses projets amoureux (en général un mariage) contrariés par la volonté du père de son amoureuse. On le trouve dans de très nombreuses comédies* de Molière (*L'École des maris*, *L'Avare*...).

Mariane, nom peu répandu encore dans la littérature du XVIIe siècle, rappelle les noms de jeunes premières (telle Agnès dans *L'École des femmes*) ; on le retrouve dans *L'Avare* (1668). Ce nom connaîtra un grand succès dans la littérature du XVIIIe siècle (notamment chez Marivaux et Musset).

Dorine et Flipote sont des diminutifs qui indiquent immédiatement que ces deux personnages sont des domestiques, suivantes ou servantes. Dorine est le diminutif de Théodorine ; Flipote, celui de Philippine (Philippine, Philipote, Flipote). Molière n'est pas allé chercher très loin ce dernier nom : c'est celui de la gagiste qui, lors des premières représentations, tenait le rôle de la suivante de Madame Pernelle.

Monsieur Loyal est ainsi nommé bien évidemment par antiphrase*. Vous verrez qu'il n'a rien d'un homme loyal et que ce n'est guère cette vertu qui le caractérise... bien au contraire. Il s'agit donc, et c'est assez rare dans le théâtre du XVIIe siècle, d'un personnage qui porte un nom d'ironie.

Les personnages sans nom – Nous n'en trouvons qu'un seul exemple dans cette pièce, il s'agit de l'Exempt (un exempt est un officier de police). Quand un personnage n'a pas de nom propre, comme c'est le cas ici, cela signifie qu'il représente une fonction. Cela ne veut pas dire en revanche que son intervention dans l'intrigue* soit négligeable, mais plutôt qu'il représente symboliquement une autorité, ici la justice royale.

L'analyse des noms des personnages permet de faire deux constats. D'une part, tous les noms des personnages choisis par Molière sont des noms d'harmonie (à l'exception de Monsieur Loyal… c'est l'exception qui confirme la règle). D'autre part, Molière a bien respecté les codes de la comédie* classique en ce qui concerne les personnages du *Tartuffe* : tous ont une résonance spécifique et font aussitôt sens pour le spectateur et le lecteur.

La disposition des acteurs

De la même façon que le nom des personnages peut être singulièrement révélateur, la présentation des acteurs dans la liste peut fournir des renseignements précieux et apporter déjà un premier éclairage sur les forces en présence. En effet, les personnages forment un système : ils agissent, et surtout réagissent, les uns en fonction des autres. Le système présenté au début de la pièce dévoile la situation initiale, c'est-à-dire les liens qui unissent entre eux les personnages et, souvent, révèle les rapports qu'ils entretiennent. Bien entendu, ce système va être bouleversé et la situation finale (nécessairement différente de la situation initiale) mettra en lumière un autre rapport de force entre les différents personnages.

La liste des acteurs est un endroit stratégique : l'ordre qu'elle propose a une signification. Deux possibilités s'offrent au dramaturge : il peut choisir de dresser la liste des acteurs ou bien en fonction de leur ordre d'importance dans l'économie de la pièce – du plus important au moins important – (Tartuffe, puisqu'il donne son nom à la pièce, Orgon, Elmire, etc.) ; ou bien suivant leur ordre d'entrée en scène (Madame Pernelle, Elmire, etc.). Molière n'a choisi aucune de ces deux possibilités-là, ce qui ne veut pas dire que la liste des acteurs soit sans cohérence, bien au contraire. Voyons comment elle s'organise et quel ordonnancement Molière a choisi.

Dans la famille..., je demande le père ! – Les sept premiers personnages sont définis par leurs relations familiales. On s'aperçoit que les liens qui les unissent sont définis par rapport à un seul personnage, Orgon, ce qui fait de lui un « personnage pivot » dans la liste des acteurs et par conséquent dans la pièce. Cela explique alors l'ordre des noms : d'abord les ascendants (Madame Pernelle), ensuite les conjoints (Elmire), puis les descendants (Damis, Mariane) et les parents par alliance (Cléante, le beau-frère). Remarquons néanmoins que Valère est défini par rapport à Mariane : à l'intérieur de ce premier système apparaît alors un microsystème, dont Mariane est le centre.

On a donc le système suivant :

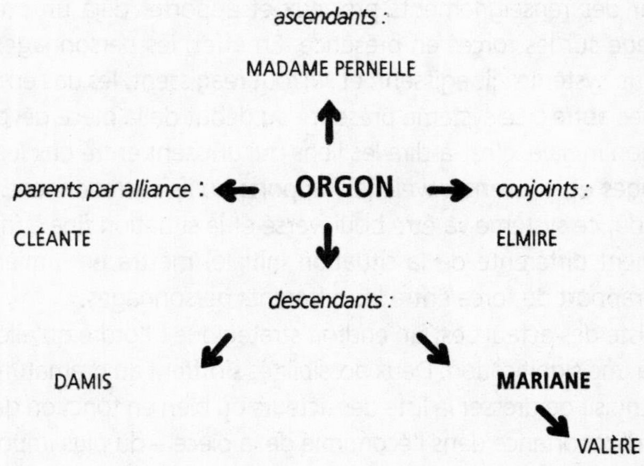

Je demande la mère ! – Lorsque l'on examine de quelle manière Orgon est défini, on s'aperçoit que c'est par rapport à un autre personnage, Elmire (« mari d'Elmire »). Si Orgon était vraiment le centre du système, c'est-à-dire de la pièce, il ne serait pas défini par rapport à un autre personnage, mais de manière autonome (on trouverait par exemple à la suite de son nom « le maître de maison »). Or, il est caractérisé par rapport à Elmire, ce qui fait d'Elmire un autre personnage pivot à partir duquel Orgon est défini.

Orgon et Elmire sont donc définis l'un par rapport à l'autre, Elmire est la femme d'Orgon et Orgon le mari d'Elmire : le système semble tourner en rond. Est-ce vraiment le cas ? N'est-ce pas plutôt l'indice qu'Orgon aspire à se positionner comme le centre de la cellule familiale (ce dont ses crises d'autorité témoignent) alors qu'en réalité il n'en est rien et que c'est Elmire, dont on sait qu'elle va prendre le risque et l'initiative de démasquer Tartuffe, qui tient un rôle stratégique à la fois au sein de la famille et dans la pièce ?

Et Tartuffe ? – À la suite de ce système, qui soulève déjà bien des questions et des enjeux, se trouve Tartuffe, personnage central (central signifie « au centre ») à plus d'un titre : il donne son nom à la pièce et il est défini de manière autonome (« faux dévot »). Tartuffe apparaît comme une sorte d'électron libre qui va perturber l'équilibre de ce système. Il est bien l'élément perturbateur à l'origine de l'intrigue* et va bouleverser le schéma initial (le chien dans un jeu de quilles !). C'est le rôle de Tartuffe par rapport à la cellule familiale qui est en cause ici puisque c'est lui qui va susciter la crise.

Il y a donc deux pivots dans cette liste des acteurs, deux centres, Orgon d'un côté, Tartuffe de l'autre. On peut alors supposer que la relation entre ces deux protagonistes, entre ces deux centres, constituera le cœur de l'intrigue* : la relation Orgon-Tartuffe est par conséquent cruciale. Tartuffe va chercher, tel un parasite, à s'immiscer, par l'intermédiaire d'Orgon et avec sa bénédiction, dans cet équilibre et à le rompre en sa faveur. Mais Tartuffe aura à faire avec l'autre centre du système familial : Elmire, qui elle s'emploiera à l'expulser de la cellule pendant qu'Orgon cherchera à l'y installer. La tension réside dans le fait que les deux centres du système s'opposent sur la place à accorder au troisième : l'un (Orgon) cherche à l'intégrer, l'autre (Elmire) à le désintégrer (en travaillant à son expulsion) :

En créant une tension entre les deux centres du système (Orgon et Elmire), Tartuffe va mettre en péril leur équilibre, c'est-à-dire la relation conjugale qui les unit. De la même façon, il va mettre en danger le microsystème dont Mariane est le centre en en menaçant également l'équilibre :

La fin de la liste des acteurs est réservée aux personnages mineurs de la pièce qu'on appelle des « utilités* ». Le fait que Dorine soit « rangée » dans cette seconde catégorie est à première vue singulier et inattendu. Cela s'explique toutefois. Dorine ne fait pas partie de la cellule familiale proprement dite, même si elle appartient, en tant que suivante de Mariane, à la maison d'Orgon, vit sous le même toit que la famille et se considère comme membre de la famille à part entière ; elle a son mot à dire, prend à cœur les intérêts de sa maîtresse, s'octroie des droits que son statut ne lui permet pas : tenir tête à Orgon, rabrouer Mariane… Pour autant, Dorine ne sert pas à grand-chose dans l'intrigue*, elle ne fait à aucun moment avancer l'action. En revanche, sa présence est utile (et c'est en quoi elle est une « utilité* ») puisque c'est principalement sur elle que repose le comique : son rôle consiste à dédramatiser, par son franc-parler et sa fraîcheur, les moments de grande tension. Peu utile sur le fond, la présence de Dorine s'avère nécessaire pour la forme comique de la pièce : sans sa présence, la pièce basculerait presque dans la tragédie. Gardez toujours en mémoire qu'il faut distinguer pour chaque personnage son importance quantitative, en volume, et son importance qualitative, dans l'action. Observez par exemple le nombre peu important d'apparitions de Tartuffe par rapport à son importance qualitative...

à vous...

1 – Comparez les systèmes d'énonciation des différents placets* et de la préface : qui parle ? à qui ? de quoi (et surtout ici de qui) est-il question ? quand ? où ? de quelle manière ? dans quel but ?

2 – Refaites la liste des acteurs en proposant un autre ordre et en justifiant votre choix. Relisez bien ce qui précède, vous y trouverez des indices : deux classements différents vous sont déjà proposés !

ACTE I

SCÈNE 1

MADAME PERNELLE ET FLIPOTE,
sa servante, ELMIRE, MARIANE, DORINE,
DAMIS, CLÉANTE

MADAME PERNELLE

Allons, Flipote, allons, que d'eux je me délivre.

ELMIRE

Vous marchez d'un tel pas qu'on a peine à vous suivre.

MADAME PERNELLE

Laissez, ma bru, laissez, ne venez pas plus loin :
Ce sont toutes façons dont je n'ai pas besoin.

ELMIRE

De ce que l'on vous doit envers vous on s'acquitte.
Mais, ma mère, d'où vient que vous sortez si vite ?

MADAME PERNELLE

C'est que je ne puis voir tout ce ménage-ci,
Et que de me complaire on ne prend nul souci.
Oui, je sors de chez vous fort mal édifiée[1] :
Dans toutes mes leçons j'y suis contrariée,
On n'y respecte rien, chacun y parle haut,
Et c'est tout justement la cour du roi Pétaut[2].

DORINE

Si…

MADAME PERNELLE

Vous êtes, mamie, une fille suivante
Un peu trop forte en gueule, et fort impertinente :
Vous vous mêlez sur tout de dire votre avis.

DAMIS

Mais…

MADAME PERNELLE

Vous êtes un sot en trois lettres, mon fils ;
C'est moi qui vous le dis, qui suis votre grand-mère ;
Et j'ai prédit cent fois à mon fils, votre père,
Que vous preniez tout l'air d'un méchant garnement,
Et ne lui donneriez jamais que du tourment.

MARIANE

Je crois…

1. Édifiée : portée à la vertu.
2. La cour du roi Pétaut : personnage légendaire du XVIe siècle, roi des gueux et des mendiants ; signifie cour où règnent le désordre et la confusion.

MADAME PERNELLE

Mon Dieu, sa sœur, vous faites la discrette[1],
Et vous n'y touchez pas, tant vous semblez doucette;
Mais il n'est, comme on dit, pire eau que l'eau qui dort,
Et vous menez sous chape un train que je hais fort.

ELMIRE

Mais, ma mère…

MADAME PERNELLE

Ma bru, qu'il ne vous en déplaise,
Votre conduite en tout est tout à fait mauvaise;
Vous devriez leur mettre un bon exemple aux yeux,
Et leur défunte mère en usait beaucoup mieux.
Vous êtes dépensière; et cet état me blesse,
Que vous alliez vêtue ainsi qu'une princesse.
Quiconque à son mari veut plaire seulement,
Ma bru, n'a pas besoin de tant d'ajustement.

CLÉANTE

Mais, Madame, après tout…

MADAME PERNELLE

Pour vous, Monsieur son frère,
Je vous estime fort, vous aime, et vous révère;
Mais enfin, si j'étais de mon fils[2], son époux,
Je vous prierais bien fort de n'entrer point chez nous.
Sans cesse vous prêchez des maximes de vivre
Qui par d'honnêtes gens ne se doivent point suivre.

1. Vous faites la discrette : vous affectez de la réserve et de la retenue. La rime est pour l'œil.
2. Si j'étais de mon fils : si j'étais à la place de mon fils.

Je vous parle un peu franc ; mais c'est là mon humeur,
Et je ne mâche point ce que j'ai sur le cœur.

DAMIS

Votre Monsieur Tartuffe est bien heureux sans doute…

MADAME PERNELLE

C'est un homme de bien, qu'il faut que l'on écoute ;
Et je ne puis souffrir sans me mettre en courroux
De le voir querellé par un fou comme vous.

DAMIS

Quoi ? je souffrirai, moi, qu'un cagot[1] de critique
Vienne usurper céans[2] un pouvoir tyrannique,
Et que nous ne puissions à rien nous divertir,
Si ce beau monsieur-là n'y daigne consentir ?

DORINE

S'il le faut écouter et croire à ses maximes,
On ne peut faire rien qu'on ne fasse des crimes ;
Car il contrôle tout, ce critique zélé.

MADAME PERNELLE

Et tout ce qu'il contrôle est fort bien contrôlé.
C'est au chemin du Ciel qu'il prétend vous conduire,
Et mon fils à l'aimer vous devrait tous induire.

DAMIS

Non, voyez-vous, ma mère[3], il n'est père ni rien

1. Cagot : hypocrite, faux dévot.
2. Céans : ici, dans cette maison.
3. Ma mère : C'est à sa grand-mère que s'adresse Damis.

Qui me puisse obliger à lui vouloir du bien :
Je trahirais mon cœur de parler d'autre sorte ;
Sur ses façons de faire à tous coups je m'emporte ;
J'en prévois une suite, et qu'avec ce pied plat[1]
Il faudra que j'en vienne à quelque grand éclat.

DORINE

Certes, c'est une chose aussi qui scandalise,
De voir qu'un inconnu céans s'impatronise[2],
Qu'un gueux qui, quand il vint, n'avait pas de souliers
Et dont l'habit entier valait bien six deniers,
En vienne jusque-là que de se méconnaître,
De contrarier tout, et de faire le maître.

MADAME PERNELLE

Hé ! merci de ma vie[3] ! il en irait bien mieux,
Si tout se gouvernait par ses ordres pieux.

DORINE

Il passe pour un saint dans votre fantaisie :
Tout son fait, croyez-moi, n'est rien qu'hypocrisie.

MADAME PERNELLE

Voyez la langue[4] !

DORINE

À lui, non plus qu'à son Laurent,
Je ne me fierais, moi, que sur un bon garant.

1. Pied plat : expression proverbiale signifiant paysan, homme grossier.
2. S'impatronise : devienne le patron.
3. Merci de ma vie : Que Dieu ait pitié de ma vie, manière de jurer populaire et triviale.
4. La langue : la mauvaise langue.

MADAME PERNELLE

J'ignore ce qu'au fond le serviteur peut être ;
Mais pour homme de bien je garantis le maître.
Vous ne lui voulez mal et ne le rebutez
Qu'à cause qu'il vous dit à tous vos vérités.
C'est contre le péché que son cœur se courrouce,
Et l'intérêt du Ciel est tout ce qui le pousse.

DORINE

Oui ; mais pourquoi, surtout depuis un certain temps,
Ne saurait-il souffrir qu'aucun hante céans ?
En quoi blesse le Ciel une visite honnête,
Pour en faire un vacarme à nous rompre la tête ?
Veut-on que là-dessus je m'explique entre nous ?
Je crois que de Madame il est, ma foi, jaloux.

MADAME PERNELLE

Taisez-vous, et songez aux choses que vous dites.
Ce n'est pas lui tout seul qui blâme ces visites.
Tout ce tracas qui suit les gens que vous hantez,
Ces carrosses sans cesse à la porte plantés,
Et de tant de laquais le bruyant assemblage
Font un éclat fâcheux dans tout le voisinage.
Je veux croire qu'au fond il ne se passe rien,
Mais enfin on en parle, et cela n'est pas bien.

CLÉANTE

Hé ! voulez-vous, Madame, empêcher qu'on ne cause ?
Ce serait dans la vie une fâcheuse chose,
Si pour les sots discours où l'on peut être mis,
Il fallait renoncer à ses meilleurs amis.
Et quand même on pourrait se résoudre à le faire,

Croiriez-vous obliger tout le monde à se taire?
Contre la médisance il n'est point de rempart.
À tous les sots caquets n'ayons donc nul égard;
Efforçons-nous de vivre avec toute innocence;
Et laissons aux causeurs une pleine licence.

DORINE

Daphné, notre voisine, et son petit époux
Ne seraient-ils point ceux qui parlent mal de nous?
Ceux de qui la conduite offre le plus à rire
Sont toujours sur autrui les premiers à médire;
Ils ne manquent jamais de saisir promptement
L'apparente lueur du moindre attachement,
D'en semer la nouvelle avec beaucoup de joie,
Et d'y donner le tour qu'ils veulent qu'on y croie
Des actions d'autrui, teintes de leurs couleurs,
Ils pensent dans le monde autoriser les leurs,
Et sous le faux espoir de quelque ressemblance,
Aux intrigues qu'ils ont donner de l'innocence,
Ou faire ailleurs tomber quelques traits partagés
De ce blâme public dont ils sont trop chargés.

MADAME PERNELLE

Tous ces raisonnements ne font rien à l'affaire.
On sait qu'Orante mène une vie exemplaire :
Tous ses soins vont au Ciel; et j'ai su par des gens
Qu'elle condamne fort le train qui vient céans.

DORINE

L'exemple est admirable, et cette dame est bonne!
Il est vrai qu'elle vit en austère personne;
Mais l'âge dans son âme a mis ce zèle ardent,

Et l'on sait qu'elle est prude à son corps défendant.
Tant qu'elle a pu des cœurs attirer les hommages,
Elle a fort bien joui de tous ses avantages;
Mais, voyant de ses yeux tous les brillants baisser,
Au monde, qui la quitte, elle veut renoncer,
Et du voile pompeux d'une haute sagesse
De ses attraits usés déguiser la faiblesse.
Ce sont là les retours des coquettes du temps.
Il leur est dur de voir déserter les galants.
Dans un tel abandon, leur sombre inquiétude
Ne voit d'autre recours que le métier de prude;
Et la sévérité de ces femmes de bien
Censure toute chose, et ne pardonne à rien;
Hautement d'un chacun elles blâment la vie,
Non point par charité, mais par un trait d'envie,
Qui ne saurait souffrir qu'une autre ait les plaisirs
Dont le penchant de l'âge a sevré leurs désirs.

MADAME PERNELLE

Voilà les contes bleus[1] qu'il vous faut pour vous plaire.
Ma bru, l'on est chez vous contrainte de se taire,
Car Madame à jaser tient le dé[2] tout le jour.
Mais enfin je prétends discourir à mon tour :
Je vous dis que mon fils n'a rien fait de plus sage
Qu'en recueillant chez soi ce dévot personnage;
Que le Ciel au besoin l'a céans envoyé
Pour redresser à tous votre esprit fourvoyé;
Que pour votre salut vous le devez entendre,
Et qu'il ne reprend rien qui ne soit à reprendre.

1. Contes bleus : ouvrages populaires, dont la couverture était de couleur bleue.
2. À jaser tient le dé : se rend maître de la conversation; parle sans cesse.

Ces visites, ces bals, ces conversations
Sont du malin esprit toutes inventions.
Là jamais on n'entend de pieuses paroles :
Ce sont propos oisifs, chansons et fariboles;
Bien souvent le prochain en a sa bonne part,
Et l'on y sait médire et du tiers et du quart[1].
Enfin les gens sensés ont leurs têtes troublées
De la confusion de telles assemblées :
Mille caquets divers s'y font en moins de rien;
Et comme l'autre jour un docteur dit fort bien,
C'est véritablement la tour de Babylone[2],
Car chacun y babille, et tout du long de l'aune[3].
Et pour conter l'histoire où ce point l'engagea...

Montrant Cléante.

Voilà-t-il pas Monsieur qui ricane déjà!
Allez chercher vos fous qui vous donnent à rire,
Et sans... Adieu, ma bru : je ne veux plus rien dire.
Sachez que pour céans j'en rabats de moitié[4],
Et qu'il fera beau temps quand j'y mettrai le pied.

Donnant un soufflet à Flipote.

Allons, vous! vous rêvez, et bayez aux corneilles.
Jour de Dieu! je saurai vous frotter les oreilles.
Marchons, gaupe[5], marchons.

1. Et du tiers et du quart : d'une troisième personne et d'une quatrième, c'est-à-dire des «autres».
2. Tour de Babylone : confusion entre la tour de Babel et le terme «babil». Voir le jeu de mots avec le vers suivant *aune* : babil-aune.
3. Tout du long de l'aune : l'aune est à l'époque une unité de mesure. L'expression signifie sans mesure.
4. J'en rabats de moitié : mon estime diminue de moitié.
5. Gaupe ; femme malpropre, souillon. Terme injurieux et méprisant.

SCÈNE 2

CLÉANTE, DORINE

CLÉANTE

Je n'y veux point aller,
De peur qu'elle ne vînt encor me quereller,
Que cette bonne femme[1]...

DORINE

Ah! certes, c'est dommage
Qu'elle ne vous ouît tenir un tel langage :
Elle vous dirait bien qu'elle vous trouve bon,
Et qu'elle n'est point d'âge à lui donner ce nom.

CLÉANTE

Comme elle s'est pour rien contre nous échauffée!
Et que de son Tartuffe elle paraît coiffée!

DORINE

Oh! vraiment tout cela n'est rien au prix du fils,
Et si vous l'aviez vu, vous diriez : «C'est bien pis!»
Nos troubles[2] l'avaient mis sur le pied d'homme sage
Et pour servir son prince il montra du courage;
Mais il est devenu comme un homme hébété,
Depuis que de Tartuffe on le voit entêté;
Il l'appelle son frère, et l'aime dans son âme
Cent fois plus qu'il ne fait mère, fils, fille et femme.

1. Bonne femme : vieille femme (sans connotation péjorative).
2. Nos troubles : référence à la Fronde (1648-1653), période de menace pour le pouvoir royal et pendant laquelle Orgon resta fidèle à Louis XIV.

C'est de tous ses secrets l'unique confident,
Et de ses actions le directeur[1] prudent;
Il le choie, il l'embrasse, et pour une maîtresse
On ne saurait, je pense, avoir plus de tendresse;
À table, au plus haut bout il veut qu'il soit assis;
Avec joie il l'y voit manger autant que six;
Les bons morceaux de tout, il fait qu'on les lui cède;
Et s'il vient à roter, il lui dit : « Dieu vous aide ! »

(C'est une servante qui parle.)

Enfin il en est fou; c'est son tout, son héros;
Il l'admire à tous coups, le cite à tout propos;
Ses moindres actions lui semblent des miracles,
Et tous les mots qu'il dit sont pour lui des oracles.
Lui, qui connaît sa dupe et qui veut en jouir,
Par cent dehors fardés a l'art de l'éblouir;
Son cagotisme en tire à toute heure des sommes,
Et prend droit de gloser sur tous tant que nous sommes.
Il n'est pas jusqu'au fat[2] qui lui sert de garçon
Qui ne se mêle aussi de nous faire leçon;
Il vient nous sermonner avec des yeux farouches,
Et jeter nos rubans, notre rouge et nos mouches.
Le traître, l'autre jour, nous rompit de ses mains
Un mouchoir qu'il trouva dans une *Fleur des Saints*[3],
Disant que nous mêlions, par un crime effroyable,
Avec la sainteté les parures du diable.

1. Directeur : directeur de conscience, qui dirige certaines personnes en matière de morale et de religion.
2. Fat : sot, terme méprisant.
3. *Fleur des Saints* : ouvrage de piété volumineux et très répandu.

SCÈNE 3

ELMIRE, MARIANE, DAMIS, CLÉANTE, DORINE

ELMIRE

Vous êtes bien heureux de n'être point venu
Au discours qu'à la porte elle nous a tenu.
Mais j'ai vu mon mari : comme il ne m'a point vue,
Je veux aller là-haut attendre sa venue.

CLÉANTE

Moi, je l'attends ici pour moins d'amusement[1],
Et je vais lui donner le bonjour seulement.

DAMIS

De l'hymen de ma sœur touchez-lui quelque chose.
J'ai soupçon que Tartuffe à son effet s'oppose,
Qu'il oblige mon père à des détours si grands;
Et vous n'ignorez pas quel intérêt j'y prends.
Si même ardeur enflamme et ma sœur et Valère,
La sœur de cet ami, vous le savez, m'est chère;
Et s'il fallait…

DORINE

Il entre.

1. Pour moins d'amusement : pour perdre moins de temps.

SCÈNE 4

ORGON, CLÉANTE, DORINE

ORGON

Ah ! mon frère, bonjour.

CLÉANTE

Je sortais, et j'ai joie à vous voir de retour.
La campagne à présent n'est pas beaucoup fleurie.

ORGON

Dorine… Mon beau-frère, attendez, je vous prie :
Vous voulez bien souffrir, pour m'ôter de souci,
Que je m'informe un peu des nouvelles d'ici.
Tout s'est-il, ces deux jours, passé de bonne sorte ?
Qu'est-ce qu'on fait céans ? comme est-ce qu'on s'y porte ?

DORINE

Madame eut avant-hier la fièvre jusqu'au soir,
Avec un mal de tête étrange à concevoir.

ORGON

Et Tartuffe ?

DORINE

Tartuffe ? Il se porte à merveille,
Gros et gras, le teint frais, et la bouche vermeille.

ORGON

Le pauvre homme !

DORINE

Le soir, elle eut un grand dégoût,
Et ne put au souper toucher à rien du tout,
Tant sa douleur de tête était encor cruelle !

ORGON

Et Tartuffe ?

DORINE

Il soupa, lui tout seul, devant elle,
Et fort dévotement il mangea deux perdrix,
Avec une moitié de gigot en hachis.

ORGON

Le pauvre homme !

DORINE

La nuit se passa tout entière
Sans qu'elle pût fermer un moment la paupière ;
Des chaleurs l'empêchaient de pouvoir sommeiller,
Et jusqu'au jour près d'elle il nous fallut veiller.

ORGON

Et Tartuffe ?

DORINE

Pressé d'un sommeil agréable,
Il passa dans sa chambre au sortir de la table,
Et dans son lit bien chaud il se mit tout soudain,
Où sans trouble il dormit jusques au lendemain.

ORGON

Le pauvre homme !

DORINE

À la fin, par nos raisons gagnée,
Elle se résolut à souffrir la saignée,
Et le soulagement suivit tout aussitôt.

ORGON

Et Tartuffe ?

DORINE

Il reprit courage comme il faut,
Et contre tous les maux fortifiant son âme,
Pour réparer le sang qu'avait perdu Madame,
But à son déjeuner quatre grands coups de vin.

ORGON

Le pauvre homme !

DORINE

Tous deux se portent bien enfin ;
Et je vais à Madame annoncer par avance
La part que vous prenez à sa convalescence.

SCÈNE 5

ORGON, CLÉANTE

CLÉANTE

À votre nez, mon frère, elle se rit de vous;
Et sans avoir dessein de vous mettre en courroux,
Je vous dirai tout franc que c'est avec justice.
A-t-on jamais parlé d'un semblable caprice?
Et se peut-il qu'un homme ait un charme[1] aujourd'hui
À vous faire oublier toutes choses pour lui,
Qu'après avoir chez vous réparé sa misère,
Vous en veniez au point…?

ORGON

Halte-là, mon beau-frère :
Vous ne connaissez pas celui dont vous parlez.

CLÉANTE

Je ne le connais pas, puisque vous le voulez;
Mais enfin, pour savoir quel homme ce peut être…

ORGON

Mon frère, vous seriez charmé de le connaître,
Et vos ravissements[2] ne prendraient point de fin.
C'est un homme… qui… ha!… un homme… un homme enfin.
Qui suit bien ses leçons, goûte une paix profonde,
Et comme du fumier regarde tout le monde.

1. Un charme : un pouvoir magique.
2. Ravissements : extases; terme mystique employé de façon excessive ici.

Oui, je deviens tout autre avec son entretien;
Il m'enseigne à n'avoir affection pour rien,
De toutes amitiés il détache mon âme;
Et je verrais mourir frère, enfants, mère et femme,
Que je m'en soucierais autant que de cela.

CLÉANTE

Les sentiments humains, mon frère, que voilà!

ORGON

Ha! si vous aviez vu comme j'en fis rencontre,
Vous auriez pris pour lui l'amitié que je montre.
Chaque jour à l'église il venait, d'un air doux,
Tout vis-à-vis de moi se mettre à deux genoux.
Il attirait les yeux de l'assemblée entière
Par l'ardeur dont au Ciel il poussait sa prière;
Il faisait des soupirs, de grands élancements[1],
Et baisait humblement la terre à tous moments;
Et lorsque je sortais, il me devançait vite,
Pour m'aller à la porte offrir de l'eau bénite.
Instruit par son garçon, qui dans tout l'imitait,
Et de son indigence, et de ce qu'il était,
Je lui faisais des dons; mais avec modestie
Il me voulait toujours en rendre une partie.
«C'est trop, me disait-il, c'est trop de la moitié;
Je ne mérite pas de vous faire pitié»;
Et quand je refusais de le vouloir reprendre,
Aux pauvres, à mes yeux, il allait le répandre.
Enfin le Ciel chez moi me le fit retirer[2],
Et depuis ce temps-là tout semble y prospérer.

1. Élancements : élans de l'âme.
2. Retirer : recueillir.

Je vois qu'il reprend tout, et qu'à ma femme même
Il prend, pour mon honneur, un intérêt extrême;
Il m'avertit des gens qui lui font les yeux doux,
Et plus que moi six fois il s'en montre jaloux.
Mais vous ne croiriez point jusqu'où monte son zèle :
Il s'impute à péché la moindre bagatelle;
Un rien presque suffit pour le scandaliser;
Jusque-là qu'il se vint l'autre jour accuser
D'avoir pris une puce en faisant sa prière,
Et de l'avoir tuée avec trop de colère[1].

CLÉANTE

Parbleu! vous êtes fou, mon frère, que je crois.
Avec de tels discours, vous moquez-vous de moi?
Et que prétendez-vous que tout ce badinage?...

ORGON

Mon frère, ce discours sent le libertinage[2] :
Vous en êtes un peu dans votre âme entiché;
Et comme je vous l'ai plus de dix fois prêché,
Vous vous attirerez quelque méchante affaire.

CLÉANTE

Voilà de vos pareils le discours ordinaire :
Ils veulent que chacun soit aveugle comme eux.
C'est être libertin que d'avoir de bons yeux,
Et qui n'adore pas de vaines simagrées
N'a ni respect ni foi pour les choses sacrées.
Allez, tous vos discours ne me font point de peur :

1. Trop de colère : allusion à un épisode attribué à saint Macaire qui alla se mortifier six mois dans le désert pour avoir tué un moucheron trop violemment.
2. Libertinage : libre pensée, manque de respect envers la religion.

Je sais comme je parle, et le Ciel voit mon cœur.
De tous vos façonniers[1] on n'est point les esclaves.
Il est de faux dévots ainsi que de faux braves ;
Et comme on ne voit pas qu'où l'honneur les conduit
Les vrais braves soient ceux qui font beaucoup de bruit,
Les bons et vrais dévots, qu'on doit suivre à la trace,
Ne sont pas ceux aussi qui font tant de grimace.
Hé quoi ? vous ne ferez nulle distinction
Entre l'hypocrisie et la dévotion ?
Vous les voulez traiter d'un semblable langage,
Et rendre même honneur au masque qu'au visage,
Égaler l'artifice à la sincérité,
Confondre l'apparence avec la vérité,
Estimer le fantôme autant que la personne,
Et la fausse monnaie à l'égal de la bonne ?
Les hommes la plupart sont étrangement faits !
Dans la juste nature on ne les voit jamais ;
La raison a pour eux des bornes trop petites ;
En chaque caractère ils passent ses limites ;
Et la plus noble chose, ils la gâtent souvent
Pour la vouloir outrer et pousser trop avant.
Que cela vous soit dit en passant, mon beau-frère.

ORGON

Oui, vous êtes sans doute un docteur qu'on révère ;
Tout le savoir du monde est chez vous retiré ;
Vous êtes le seul sage et le seul éclairé,
Un oracle, un Caton[2] dans le siècle où nous sommes ;
Et près de vous ce sont des sots que tous les hommes.

1. Façonniers : faiseurs de manières, hypocrites.
2. Caton : consul romain (234-149 av. J.-C.). Symbole de vertu et d'austérité morale.

CLÉANTE

Je ne suis point, mon frère, un docteur révéré,
Et le savoir chez moi n'est pas tout retiré.
Mais, en un mot, je sais, pour toute ma science,
Du faux avec le vrai faire la différence.
Et comme je ne vois nul genre de héros
Qui soient plus à priser que les parfaits dévots,
Aucune chose au monde et plus noble et plus belle
Que la sainte ferveur d'un véritable zèle,
Aussi ne vois-je rien qui soit plus odieux
Que le dehors plâtré d'un zèle spécieux[1],
Que ces francs charlatans, que ces dévots de place[2],
De qui la sacrilège et trompeuse grimace
Abuse impunément et se joue à leur gré
De ce qu'ont les mortels de plus saint et sacré,
Ces gens qui, par une âme à l'intérêt soumise,
Font de dévotion métier et marchandise,
Et veulent acheter crédit et dignités
À prix de faux clins d'yeux et d'élans affectés,
Ces gens, dis-je, qu'on voit d'une ardeur non commune
Par le chemin du Ciel courir à leur fortune,
Qui, brûlants et priants, demandent chaque jour,
Et prêchent la retraite au milieu de la cour,
Qui savent ajuster leur zèle avec leurs vices,
Sont prompts[3], vindicatifs, sans foi[4], pleins d'artifices,
Et pour perdre quelqu'un couvrent insolemment
De l'intérêt du Ciel leur fier[5] ressentiment,

1. Spécieux : trompeur.
2. Dévots de place : dévot affichant sa dévotion sur la place publique, opposé à «dévots de cœur».
3. Sont prompts : s'emportent rapidement.
4. Foi : parole.
5. Fier : cruel, terme fort au XVIIe siècle.

D'autant plus dangereux dans leur âpre colère,
Qu'ils prennent contre nous des armes qu'on révère,
Et que leur passion, dont on leur sait bon gré,
Veut nous assassiner avec un fer sacré.
De ce faux caractère on en voit trop paraître;
Mais les dévots de cœur sont aisés à connaître.
Notre siècle, mon frère, en expose à nos yeux
Qui peuvent nous servir d'exemples glorieux :
Regardez Ariston, regardez Périandre,
Oronte, Alcidamas, Polydore, Clitandre;
Ce titre par aucun ne leur est débattu;
Ce ne sont point du tout fanfarons de vertu;
On ne voit point en eux ce faste insupportable,
Et leur dévotion est humaine, est traitable :
Ils ne censurent point toutes nos actions :
Ils trouvent trop d'orgueil dans ces corrections;
Et laissant la fierté des paroles aux autres,
C'est par leurs actions qu'ils reprennent les nôtres.
L'apparence du mal a chez eux peu d'appui[1],
Et leur âme est portée à juger bien d'autrui.
Point de cabale en eux, point d'intrigues à suivre;
On les voit, pour tous soins, se mêler de bien vivre;
Jamais contre un pécheur ils n'ont d'acharnement;
Ils attachent leur haine au péché seulement,
Et ne veulent point prendre, avec un zèle extrême,
Les intérêts du Ciel plus qu'il ne veut lui-même.
Voilà mes gens, voilà comme il en faut user,
Voilà l'exemple enfin qu'il se faut proposer.
Votre homme, à dire vrai, n'est pas de ce modèle :
C'est de fort bonne foi que vous vantez son zèle;
Mais par un faux éclat je vous crois ébloui.

1. D'appui : faveur, crédit.

ORGON

Monsieur mon cher beau-frère, avez-vous tout dit?

CLÉANTE

Oui.

ORGON

Je suis votre valet[1].

Il veut s'en aller.

CLÉANTE

De grâce, un mot, mon frère.
Laissons là ce discours. Vous savez que Valère
Pour être votre gendre a parole de vous?

ORGON

Oui.

CLÉANTE

Vous aviez pris jour pour un lien si doux.

ORGON

Il est vrai.

CLÉANTE

Pourquoi donc en différer la fête?

ORGON

Je ne sais.

1. Je suis votre valet : s'emploie pour signifier ironiquement à quelqu'un qu'on ne le croit pas ou qu'on n'a pas l'intention de faire ce qu'il demande.

CLÉANTE

Auriez-vous autre pensée en tête?

ORGON

Peut-être.

CLÉANTE

Vous voulez manquer à votre foi?

ORGON

Je ne dis pas cela.

CLÉANTE

Nul obstacle, je crois,
Ne vous peut empêcher d'accomplir vos promesses.

ORGON

Selon.

CLÉANTE

Pour dire un mot, faut-il tant de finesses?
Valère sur ce point me fait vous visiter.

ORGON

Le Ciel en soit loué!

CLÉANTE

Mais que lui reporter?

ORGON

Tout ce qu'il vous plaira.

CLÉANTE

Mais il est nécessaire
De savoir vos desseins. Quels sont-ils donc ?

ORGON

De faire
Ce que le Ciel voudra.

CLÉANTE

Mais parlons tout de bon.
Valère a votre foi : la tiendrez-vous, ou non ?

ORGON

Adieu.

CLÉANTE

Pour son amour je crains une disgrâce,
Et je dois l'avertir de tout ce qui se passe.

Arrêt sur lecture 2

Une pièce de théâtre, qu'il s'agisse d'une tragédie ou d'une comédie*, ne se structure pas n'importe comment. Surtout pas à l'âge classique. L'action dramatique doit au contraire être progressive et les différents événements qui constituent l'intrigue* doivent s'agencer de façon rigoureuse. Le premier élément qui compose cette intrigue*, c'est-à-dire ici le premier moment du texte dramatique, s'appelle une exposition*.

Qu'est-ce qu'une exposition ?

L'exposition* est un élément indispensable de l'action dramatique : c'est le moment où le dramaturge va fournir au spectateur un certain nombre d'informations essentielles à la compréhension de la pièce. Il doit répondre aux multiples questions que se pose le spectateur au moment où le rideau se lève. Où se situe l'action de la pièce ? Quand a-t-elle lieu ? Quel est l'enjeu de l'intrigue* ? Quels en sont les principaux protagonistes ?

Cette exposition* exige donc de la part du dramaturge une

grande habileté. Il doit informer le spectateur sans en avoir l'air, en lui donnant au contraire l'impression que l'action de la pièce a réellement démarré. Rien n'est pire en effet qu'une exposition* artificielle, où le spectateur sent que les acteurs présents sur la scène ne sont là que pour lui présenter l'intrigue*, la lui exposer, sous la forme d'un récit long, détaillé... et souvent indigeste.

Au temps de Molière

À l'âge classique, l'exposition doit impérativement intégrer l'action dramatique proprement dite. Elle peut être plus ou moins longue : tout dépend de l'habileté du dramaturge et de l'importance des informations qu'il doit fournir au spectateur. La première scène (dite « scène d'exposition ») délivre généralement les informations essentielles, mais l'exposition se poursuit tout au long du premier acte (elle l'excède rarement). C'est pour cette raison que le premier acte s'appelle l'**acte d'exposition***. Par ailleurs, une exposition digne de ce nom doit répondre à certains critères : il faut qu'elle soit *entière*, *courte*, *claire*, *intéressante* et *vraisemblable*.

Exposition statique ou exposition dynamique? – Lorsqu'un dramaturge du XVIIe siècle se lance dans la rédaction de sa pièce, il a le choix entre deux types d'exposition*.

Tout d'abord l'exposition statique. Elle peut prendre la forme d'un dialogue entre deux personnages. Au cours de ce dialogue, l'un des protagonistes fait à l'autre le récit des événements passés et de ce qui constituera l'intrigue de la pièce; ce procédé est celui qui est le plus souvent utilisé dans la tragédie. L'exposition statique peut également se présenter sous forme d'un monologue. En lisant *Le Malade imaginaire* de Molière, vous constatez que la pièce s'ouvre sur un monologue d'Argan, le fameux « malade imaginaire » et principal protagoniste de la pièce.

L'exposition dynamique, ensuite. Ce second type d'exposition* consiste, pour le dramaturge, à délivrer des informations non plus sous la forme narrative mais sous la forme d'une action. Molière a exploité cette possibilité, notamment dans *Le Médecin malgré lui* où le spectateur voit la pièce s'ouvrir sur une querelle conjugale qui va s'achever... par une pluie de coups de bâton !

La scène d'idées – Molière n'a pas beaucoup exploité ces deux types d'exposition* en vigueur à l'âge classique, choisissant souvent au contraire une troisième solution. Il a généralement fait démarrer ses pièces par une sorte de débat d'idées ou de considérations générales sur un sujet précis. L'exposition* consiste alors pour lui à exposer le thème de la pièce : l'intrigue aura pour fonction d'être l'illustration des différentes idées présentées en ouverture. C'est le cas pour un grand nombre de ses pièces : dans *L'École des femmes* par exemple, la scène 1 de l'acte I montre Arnolphe et Chrysalde qui développent tous deux leurs opinions et leurs craintes concernant l'infidélité conjugale. Dans *Le Misanthrope*, c'est une discussion générale autour de l'amitié et de la sincérité qui ouvre la pièce. Cette « troisième voie » qu'a beaucoup exploitée Molière n'est nullement originale ; bien au contraire, ce procédé était considéré comme très démodé à son époque.

À pièce sans précédent, exposition sans précédent

Molière a eu recours pour *Le Tartuffe* à une entrée en scène originale, on pourrait presque dire inédite. L'originalité réside dans le nombre des personnages présents sur la scène au moment du lever du rideau. Lorsque la pièce commence, la plupart des personnages de la pièce sont sur scène : huit personnages sur les douze annoncés dans la liste des acteurs. Molière avait déjà expérimenté ce type d'ouverture quelque temps auparavant, en 1663, pour sa pièce en un acte intitulée *L'Impromptu de Versailles* : dix personnages sur les douze de la pièce étaient présents à la scène 1 de l'acte I. Il ne l'a employé ensuite que pour *Le Tartuffe*. Parce qu'elle met en scène un grand nombre de protagonistes, cette première scène est une scène de groupe : elle permet au spectateur de faire connaissance d'un seul coup avec presque tous les personnages de la pièce. Presque ?

Une réunion de famille... où tous se querellent !

Huit personnages sur scène donc, au moment du lever du rideau. Huit personnages sur douze. Qui manque à l'appel ? Sont absents de cette scène d'exposition* Orgon, Tartuffe, ainsi que les deux « utilités* », Monsieur Loyal et l'Exempt, qui n'apparaîtront qu'au cinquième acte. Ce sont donc les deux principaux protagonistes, Orgon et Tartuffe, qui sont absents : cela indique d'emblée au spectateur que la relation Orgon-Tartuffe sera l'enjeu principal de la pièce et orientera l'intrigue*. Plus encore, dans cette première scène, Tartuffe apparaît au centre des discussions, il est le centre du conflit, par conséquent de la pièce. Malgré cette double absence, tous les acteurs de la pièce sont présentés, les présents directement, les absents indirectement.

Sur quel ton ? La pièce s'ouvre sur un conflit en cours, et c'est ce qui permet à Molière de dynamiser l'information et de rendre cette scène d'exposition* si naturelle. Tel un chef d'orchestre, Madame Pernelle mène ce dialogue en forme de querelle, qui se découpe en trois grands mouvements.

Le premier mouvement s'achève au vers 40. Comme elle cherche à quitter la maison d'Orgon (« Allons, Flipote, allons, que d'eux je me délivre », premier vers), tous les personnages tentent chacun leur tour de la retenir et cette vaine tentative permet à Madame Pernelle de lancer à chacun des invectives et des insultes. Dorine est « un peu trop forte en gueule, et fort impertinente » (vers 14), Damis, « un sot » (vers 16), Mariane « fai[t] la discrette » (vers 21), Elmire est

« dépensière » (vers 29), enfin Cléante « prêch[e] des maximes de vivre / Qui par d'honnêtes gens ne se doivent point suivre » (vers 37-38). Il faut remarquer que l'ordre des personnages et l'ordre de présentation n'ont rien d'arbitraire. En effet, les personnages interviennent par ordre d'autorité, de la plus faible, celle de la suivante (Dorine), à la plus forte, celle du raisonneur (Cléante), et l'on voit bien que Madame Pernelle n'affronte pas Cléante de front, puisqu'elle « enrobe » sa critique, l'ouvre par un compliment (« Je vous estime fort, vous aime, et vous révère », vers 34 – notez en passant la gradation et la structure ternaire de cet alexandrin), avant de s'excuser de « parl[er] un peu franc » (vers 39). Tous les personnages sans exception réagissent aux propos de Madame Pernelle (faites attention aux articulations logiques qui ouvrent les brèves répliques de ces personnages, par exemple « mais » aux vers 16, 25 et 33) : tous sont interrompus par elle, qui ne les laisse jamais terminer leur phrase. Vous pouvez remarquer que ce phénomène se répète systématiquement (vers 13, vers 16, vers 21, vers 25, vers 33), ce qui confère à ce dialogue vivacité et comique de situation.

La mention de Tartuffe au vers 41 (« Votre Monsieur Tartuffe ») déclenche le conflit et ouvre le deuxième mouvement. Ce deuxième mouvement est exclusivement centré sur le personnage principal. Cette place stratégique de Tartuffe, au centre de la scène d'exposition*, montre bien qu'il est au cœur de l'intrigue* puisque la famille est divisée depuis et par son intrusion chez Orgon.

Enfin, le troisième mouvement (vers 85-171) reprend de façon élargie et argumentée le thème abordé en première partie : la conduite d'Elmire et des jeunes gens, mais surtout les médisances auxquelles cette conduite donne lieu. Cette première scène se clôt par un violent soufflet que Madame Pernelle administre de façon retentissante à Flipote, ce qui n'est pas sans rappeler la fin de la scène d'exposition* du *Médecin malgré lui*.

Et Madame Pernelle ?

Cette scène de groupe produit un grand effet comique grâce au personnage de Madame Pernelle. Il s'agit en effet d'un personnage acariâtre et ridicule et c'est à elle qu'est dévolu le rôle divertissant dans cette scène. Elle est ainsi la version féminine du barbon : ce terme s'appliquait au XVIIe siècle à un homme vieillissant et ennuyeux (regardez Arnolphe dans *L'École des femmes*). Imaginez-vous d'ailleurs que ce personnage de Madame Pernelle était joué (et l'est souvent encore aujourd'hui) par un homme ! L'usage, à l'époque, voulait effectivement que l'on donnât les rôles de duègne, c'est-à-dire de vieille femme acariâtre et gênante, à des hommes, afin d'accentuer le caractère ridicule et barbant de ces personnages, en reprenant le procédé traditionnel de la farce*. C'est le comédien Béjart, qui appartenait à la troupe de Molière, qui tenait ce rôle. Imaginez-vous qu'en plus Béjart boitait…

Tous les personnages sont d'abord vus à travers les yeux de Madame Pernelle. Or, son attitude et les propos qu'elle tient contre les membres de sa propre famille la disqualifient immédiatement et jettent également le discrédit sur le jugement qu'elle porte ensuite sur Tartuffe. Ce point de vue subjectif, cette focalisation particulière invite le spectateur à prendre parti dans cette querelle et à considérer que, si Madame Pernelle porte des jugements aussi partiaux et infondés sur les membres de sa famille, c'est que, nécessairement, elle se trompe également sur Tartuffe et son fils Orgon.

Examinons plus avant le vocabulaire employé par Madame Pernelle puisqu'il complète son portrait et contribue à la ridiculiser un peu plus. Le premier contact qu'a le spectateur avec Madame Pernelle se fait sur le ton de la brutalité, voire de la brusquerie, par le recours à l'impératif.

Allons, Flipote, allons, que d'eux je me délivre.

La structure de ce premier hémistiche (impératif + apostrophe + impératif) se retrouve à d'autres endroits du texte : au vers 3 (« Laissez, ma bru, laissez... »), mais surtout à la fin de la scène puisque c'est cette même structure qui clôt la scène (« Marchons, gaupe, marchons »).

Insistons sur sa vulgarité (« forte en gueule » au vers 14, « Et je ne mâche point ce que j'ai sur le cœur » vers 40; « gaupe » au vers 171), ses expressions populaires et triviales (« la cour du roi Pétaut » vers 12; « vous semblez doucette » vers 22; « sous chape » vers 24; « Voilà-t-il pas Monsieur qui ricane déjà ! » vers 164...); ses expressions proverbiales ou toutes faites (« Mais il n'est, comme on dit, pire eau que l'eau qui dort » vers 23; « Voyez la langue ! » vers 71; « Voilà les contes bleus » vers 141; « Et qu'il fera beau temps quand j'y mettrai le pied » vers 168...), mais surtout ses jurons (« Merci de ma vie ! » vers 67; « Jour de Dieu » vers 170). Tous ces éléments campent un personnage fortement antipathique et d'un autre temps. Enfin, la mise en scène doit confirmer ce trait : il faut imaginer Madame Pernelle, virevoltant et rageant au milieu de tous les autres personnages saisis et immobiles, allant de l'un à l'autre pour lui dire son fait et le couvrir de reproches. Madame Pernelle est un personnage d'un autre temps : austère, rigide, elle conserve d'un passé qu'elle regrette un langage pittoresque et très vert.

Le jeu des forces en présence

Cette première scène d'exposition* nous montre clairement que le « cas Tartuffe » divise la famille d'Orgon. Tartuffe, au centre de la querelle, scinde la famille en deux clans opposés. Il s'agit donc d'examiner les forces en présence. Dès la première scène, tous se déclarent contre Tartuffe, à l'exception de Madame Pernelle (et bien sûr d'Orgon, qui l'a recueilli). Les forces en présence ne sont pas équilibrées : cinq personnages s'opposant à Tartuffe, deux seulement le soutiennent. Cette supériorité numérique laisserait à première vue à penser que Tartuffe a peu d'alliés et qu'il constitue de fait un faible danger pour la maison d'Orgon. Il n'en est rien car c'est sans compter sur le « poids » respectif de chaque allié ou adversaire. Certes, les adversaires de Tartuffe sont plus nombreux, mais ses alliés sont plus puissants puisque ce sont eux, au premier rang desquels Orgon, qui détiennent l'autorité. L'apparente **supériorité numérique** se trouve par conséquent contrebalancée par une indéniable **supériorité hiérarchique**.

Examinons cela sous la forme d'un tableau :

Adjuvants de Tartuffe	Opposants de Tartuffe
Madame Pernelle Orgon	Elmire Cléante Dorine Damis Mariane

Si l'on procède à une rapide analyse sociologique des différentes forces en présence, on s'aperçoit également que le conflit autour de Tartuffe révèle un conflit de générations. Madame Pernelle et Orgon appartiennent aux deux dernières générations qui prônent une conception de la religion désuète et disqualifiée. Les autres en revanche, appartiennent aux deux nouvelles générations, adeptes d'une dévotion* plus modérée et plus raisonnable. Vous noterez qu'Elmire, même mariée à Orgon, n'appartient pas à la même génération que lui. Elmire est, en effet, la seconde femme d'Orgon. Il s'agit donc d'une jeune femme beaucoup moins âgée que lui.

Reprenons notre tableau de façon généalogique :

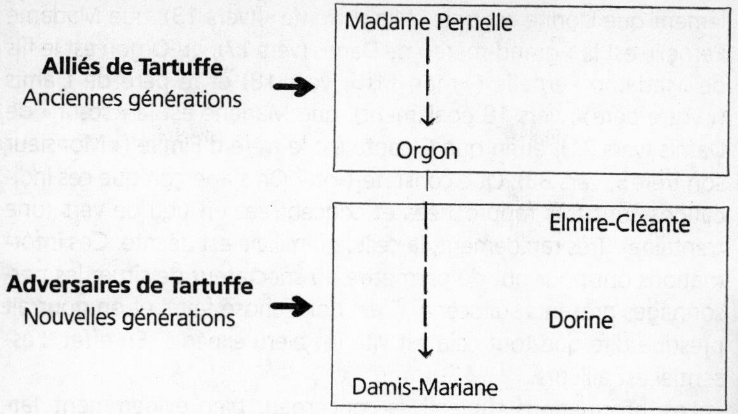

Ces trois pôles (Tartuffe, ses alliés, ses adversaires) caractérisent chacun un rapport particulier à la dévotion*. Tartuffe incarne la fausse dévotion* ; Orgon et Madame Pernelle font preuve d'une dévotion* mal digérée et mal comprise ; les adversaires de Tartuffe au premier rang desquels Cléante, puisque c'est lui qui défend cette conception dans la grande scène d'idées qui clôt l'acte (I, 5), prônent une dévotion* modérée et raisonnable, « humaine [et] traitable » (vers 390).

Des informations précieuses

Cette scène d'exposition* nous livre par ailleurs des informations de deux types : objectives et subjectives. Les informations objectives concernent les liens de parenté qui unissent l'ensemble des protagonistes présents sur scène ; ces informations renvoient à un état de fait et sont incontestables. Le spectateur apprend ainsi qu'Elmire est la belle-fille de Madame Pernelle (« ma bru », vers 3) ; pour autant, elle n'est pas la mère des enfants d'Orgon (« leur défunte mère », vers 28) et le spectateur en déduit donc qu'Orgon, veuf, a épousé Elmire en secondes noces (« son époux », vers 35). Il découvre également que Dorine est une « fille suivante » (vers 13), que Madame Pernelle est la « grand-mère » de Damis (vers 17), qu'Orgon est le fils de Madame Pernelle (« mon fils », vers 18) et le père de Damis (« votre père », vers 18 également), que Mariane est la « sœur » de Damis (vers 21), enfin que Cléante est le frère d'Elmire (« Monsieur son frère », vers 33). Que constate-t-on ? On s'aperçoit que ces indications sont très rapprochées et concentrées en peu de vers (une trentaine). Très rapidement, la cellule familiale est décrite. Ces informations ont pour but de permettre au spectateur de situer les personnages présents sur scène. C'est donc chose faite, et on pourrait presque dire que tout cela est vite (et bien) expédié. En effet, l'essentiel est ailleurs.

Les informations subjectives concernent bien évidemment Tartuffe. Chacun des personnages dresse de lui un portrait particulier, chacun insistant sur un aspect de son caractère. Ces informations sont également contradictoires. Si Madame Pernelle le considère comme « un homme de bien » (vers 42), il n'est pour Damis « qu'un cagot de critique » (vers 45) et un « pied plat » (vers 59) ; pour Dorine, c'est un « critique zélé » (vers 51), un « inconnu » (vers 62), et un « gueux » (vers 63).

Monsieur rentre de voyage

Un des deux grands absents de la première scène apparaît enfin à la scène 4. Orgon, qui s'était absenté « deux jours » (vers 229), revient « céans ». Cette entrée en scène a été préparée par le portrait que Dorine dresse de lui à la scène 2 (vers 179-198).

L'apparition d'Orgon à la scène 4 constitue par conséquent ce que l'on nomme le sommet de l'acte. Elle permet de confirmer la description qu'en a donnée Dorine précédemment. Elle révèle surtout que l'engouement d'Orgon pour Tartuffe s'apparente à un véritable aveuglement.

Pour ou contre Tartuffe ?

D'emblée au centre des discussions, objet de toutes les attentions et cause de tous les conflits, Tartuffe est dépeint tout au long de l'acte d'exposition* par les différents personnages. Damis le définit d'emblée par ses deux caractéristiques, la fausse dévotion* (« cagot de critique », vers 45) et l'usurpation du pouvoir domestique (« Vienne usurper céans un pouvoir tyrannique », vers 46). Dorine souligne dans la première scène ses origines douteuses, « un inconnu » (vers 62), « un gueux » (vers 63) ainsi que sa pauvreté (« quand il vint, n'avait pas de souliers », vers 63, et son « habit entier valait bien six deniers », vers 64) ; elle devine également l'intérêt suspect qu'il porte à Elmire (« Je crois que de Madame il est, ma foi, jaloux », vers 84). Elle esquisse enfin dans la scène 4 une description physique du personnage (« Gros et gras, le teint frais, et la bouche vermeille », vers 234) et à chacune de ses interventions fait remarquer sa gloutonnerie (vers 192, 238-240, 255). Paradoxalement, c'est Orgon qui révèle le plus efficacement l'hypocrisie de Tartuffe, dans le récit qu'il fait à Cléante de leur rencontre. À la fin de l'acte, l'ambiguïté concernant Tartuffe a totalement disparu. Le spectateur attend avec impatience la venue de Tartuffe sur la scène, pour que la réalité confirme l'image qu'il s'en est déjà faite...

Tout est dit

Indications spatio-temporelles

L'acte d'exposition a-t-il apporté les réponses attendues ? Les questions « où ? » et « quand ? » ont été résolues. Nous savons que l'action se déroule dans la maison d'Orgon. Le maître mot de cet acte, et d'ailleurs de la pièce, est l'adverbe « **céans** ». On peut en dénombrer 6 occurrences (vers 46, 80, 120, 147, 167, 230) pour le seul premier acte. Vous retrouverez cet adverbe régulièrement dans les actes suivants.

Des indications temporelles sont également présentes dans ce premier acte. Ainsi, grâce à la réplique de Cléante à la scène 4, le spectateur peut savoir à quelle période de l'année l'action se déroule : « La campagne à présent n'est pas beaucoup fleurie » (vers 225). Pour autant, aucun élément ne permet d'établir à quel moment précis de la journée commence l'action et l'heure approximative qu'il peut être au moment du lever du rideau. Ces éléments se trouveront épars dans les actes suivants. En les repérant, vous pourrez évaluer plus ou moins précisément à quel moment l'action a démarré.

Enfin, l'acte d'exposition* permet au spectateur d'apprendre ce qui s'est passé avant le lever du rideau. Ces informations multiples se font toujours sur le mode du récit. Elles sont de deux ordres. Elles font référence à un passé lointain, d'une part : ainsi, Dorine évoque aux vers 181-182 l'attitude courageuse et tout à fait louable qu'a adoptée Orgon pendant la période trouble qu'était la Fronde (il s'agit d'un détail important dont il sera question à un autre moment de l'action). Le spectateur apprend également, aux vers 281-300, dans quelles circonstances Orgon a rencontré Tartuffe et comment il l'a recueilli chez lui. Se trouvent, d'autre part, des indications qui font référence à un passé plus récent. On apprend ainsi qu'Orgon s'est absenté « deux jours » (vers 229); on apprend surtout, grâce au récit circonstancié de Dorine (scène 4) ce qui s'est passé pendant cette absence, à savoir l'indisposition passagère d'Elmire et la très bonne santé de Tartuffe.

La règle des trois unités – À quoi servent de telles indications? Elles vous permettent de vérifier que Molière, comme tout dramaturge classique, a bien appliqué dans *Le Tartuffe* la règle des trois unités*. Unité de lieu : l'action se déroule en un lieu unique. Unité de temps : l'action doit se dérouler en moins de vingt-quatre heures, elle doit commencer au plus tôt au lever du soleil et s'achever au plus tard au coucher du soleil (les puristes considèrent que l'action doit effectivement tenir en douze heures).

Qu'en est-il de l'unité d'action ? L'unité d'action impose de centrer l'intérêt sur une seule intrigue*. La scène d'exposition* s'achève effectivement sur une inquiétude et la situation initiale connaît une péripétie* décisive : le mariage prévu entre Mariane et Valère paraît compromis. Si Damis le mentionne dès la fin de la troisième scène (« De l'hymen de ma sœur touchez-lui quelque chose », vers 217), c'est pour avouer à Cléante ses craintes quant à sa concrétisation (« J'ai soupçon que Tartuffe à son effet s'oppose / Qu'il oblige mon père à des détours si grands », vers 218-219). Et la fin de l'acte laisse clairement entrevoir qu'Orgon, dont on sait qu'il s'était pourtant engagé avant que la pièce ne démarre, semble ne plus avoir l'intention de tenir sa parole (voir la fin de l'acte, vers 410-426).

Une bruyante absence

L'acte premier a permis au spectateur de faire connaissance avec l'ensemble des protagonistes et de connaître les liens qui les unissent, à l'exception de Tartuffe. Mais il s'en est déjà fait plus qu'une idée par le discours des autres acteurs, ce qui crée ainsi un formidable effet d'attente et de suspens : la curiosité du spectateur est fortement aiguisée. Au centre des discours de ce premier acte se trouve Tartuffe ; il se trouve du même coup au centre de l'intérêt du spectateur. Tartuffe est bien l'élément perturbateur au cœur de l'acte, de l'intrigue* et de la pièce.

Les différents comiques dans l'exposition

Cet acte d'exposition* a également permis à Molière de déployer ses talents comiques. Dans la large panoplie d'effets comiques à sa disposition, il a choisi de privilégier pour cet acte d'exposition* deux types particuliers de comique. Le **comique de farce***, d'abord, et une de ses formes les plus efficaces, le comique de geste avec le violent soufflet que Madame Pernelle administre à sa servante à la fin de la scène 1 et qui clôt de façon savoureuse cette scène déjà bien croustillante. Madame Pernelle est d'ailleurs un personnage de farce* (rappelez-vous qu'elle est jouée par un homme !). Le **comique de mots**, ensuite, avec le langage populaire et imagé de Madame Pernelle, les bons mots et l'ironie de Dorine, mais également et surtout avec le **comique de répétition** (reprise terme à terme d'un même élément textuel) à la scène 4 : « Et Tartuffe ? », « Le pauvre homme ». Enfin, n'oubliez pas qu'il existe également un comique produit par la mise en scène mais qui dépend alors du talent et de l'imagination du metteur en scène.

Une exposition réussie

L'exposition* du *Tartuffe* se caractérise et reste exemplaire par son dynamisme. L'ingéniosité réside dans le choix d'une scène de groupe initiale, mouvementée et conflictuelle, qui rend cette exposition* extrêmement naturelle, et permet ainsi d'éviter le caractère artificiel si fréquent des expositions*. Après avoir considéré les personnages à travers le point de vue de Madame Pernelle, la suite de l'acte permet de les voir au contraire en action. Les scènes suivantes permettent également à Molière d'égrener ses informations au fil de ce premier acte. Cette exposition* reste dynamique, habile et efficace, puisque les informations sont délivrées petit à petit. Ici, l'exposition* a rempli la fonction qui lui est dévolue : fournir les éléments d'information indispensables sans ralentir l'action. En superposant informations et action, en les entremêlant, voire en les fusionnant, Molière est parvenu à concilier exigence d'information et intérêt pour l'action.

À la fin du premier acte, tout est en place. L'entracte est achevé. Le deuxième acte peut commencer…

à vous...

Sur la scène 1

1 – Remarquez que les renseignements concernant les liens qui unissent les différents protagonistes sont les mêmes que ceux qui nous sont fournis par la liste des acteurs. Expliquez et justifiez cette redondance. S'agit-il véritablement d'une répétition?

2 – Deux portraits contradictoires de Tartuffe sont brossés dans cette première scène. Y a-t-il pour autant ambiguïté pour le spectateur? Montrez que cette ambiguïté n'existe pas non plus pour le lecteur? Comment?

Sur la scène 2

3 – Montrez comment Dorine insiste, dans le portrait qu'elle dresse d'Orgon, sur le changement d'attitude que sa rencontre avec Tartuffe a provoqué en lui. Insistez sur les indices formels qui rendent compte de ce «retournement».

4 – Quels sont les grands champs lexicaux qui dominent dans ce portrait? Dégagez les traits caractéristiques de ce portrait.

Sur la scène 4

5 – Relevez dans la scène 4 les procédés qui montrent l'aveuglement d'Orgon.

6 – Ces procédés participent-ils à la dimension comique de la scène? Justifiez votre réponse.

7 – Cléante est le témoin muet de cette scène. Quel est l'intérêt de sa présence et son effet sur le spectateur?

Sur la scène 5

8 – Montrez comment Orgon dans les vers 281 à 310 propose une description de Tartuffe qui trahit en fait sa réalité de faux dévot. Étudiez comment ce portrait démasque l'hypocrite (en relevant par exemple les procédés qui montrent que chez Tartuffe, tout n'est qu'apparence).

9 – L'objectif d'Orgon (convaincre Cléante et faire l'éloge de Tartuffe) est-il atteint ? Quelle image d'Orgon se dégage de ce portrait ? Comment le spectateur juge-t-il Tartuffe ?

ACTE II

SCÈNE 1

ORGON, MARIANE

ORGON

Mariane.

MARIANE

Mon père.

ORGON

Approchez, j'ai de quoi
Vous parler en secret.

MARIANE

Que cherchez-vous ?

ORGON, *il regarde dans un petit cabinet*

Je vois
Si quelqu'un n'est point là qui pourrait nous entendre ;
Car ce petit endroit est propre pour surprendre.

Or sus[1], nous voilà bien. J'ai, Mariane, en vous
Reconnu de tout temps un esprit assez doux,
Et de tout temps aussi vous m'avez été chère.

MARIANE

Je suis fort redevable à cet amour de père.

ORGON

C'est fort bien dit, ma fille ; et pour le mériter,
Vous devez n'avoir soin que de me contenter.

MARIANE

C'est où je mets aussi ma gloire la plus haute.

ORGON

Fort bien. Que dites-vous de Tartuffe notre hôte ?

MARIANE

Qui, moi ?

ORGON

Vous. Voyez bien comme vous répondrez.

MARIANE

Hélas ! j'en dirai, moi, tout ce que vous voudrez.

ORGON

C'est parler sagement. Dites-moi donc, ma fille,
Qu'en toute sa personne un haut mérite brille,
Qu'il touche votre cœur, et qu'il vous serait doux

1. Or sus : allons.

De le voir par mon choix devenir votre époux.
Eh?

Mariane se recule avec surprise.

MARIANE

Eh?

ORGON

Qu'est-ce?

MARIANE

Plaît-il?

ORGON

Quoi?

MARIANE

Me suis-je méprise?

ORGON

Comment?

MARIANE

Qui voulez-vous, mon père, que je dise
Qui me touche le cœur, et qu'il me serait doux
De voir par votre choix devenir mon époux?

ORGON

Tartuffe.

MARIANE

Il n'en est rien, mon père, je vous jure.
Pourquoi me faire dire une telle imposture?

ORGON

Mais je veux que cela soit une vérité;
Et c'est assez pour vous que je l'aie arrêté.

MARIANE

Quoi? vous voulez, mon père...?

ORGON

Oui, je prétends, ma fille,
Unir par votre hymen[1] Tartuffe à ma famille.
Il sera votre époux, j'ai résolu cela;
Et comme sur vos vœux je...

SCÈNE 2

DORINE, ORGON, MARIANE

ORGON

Que faites-vous là?
La curiosité qui vous pousse est bien forte,
Mamie, à nous venir écouter de la sorte.

DORINE

Vraiment, je ne sais pas si c'est un bruit qui part
De quelque conjecture, ou d'un coup de hasard,
Mais de ce mariage on m'a dit la nouvelle,
Et j'ai traité cela de pure bagatelle.

1. Hymen : mariage (terme poétique).

ORGON

Quoi donc ? la chose est-elle incroyable ?

DORINE

À tel point,
Que vous-même, Monsieur, je ne vous en crois point.

ORGON

Je sais bien le moyen de vous le faire croire.

DORINE

Oui, oui, vous nous contez une plaisante histoire.

ORGON

Je conte justement ce qu'on verra dans peu.

DORINE

Chansons !

ORGON

Ce que je dis, ma fille, n'est point jeu.

DORINE

Allez, ne croyez point à Monsieur votre père :
Il raille.

ORGON

Je vous dis…

DORINE

Non, vous avez beau faire,
On ne vous croira point.

ORGON

À la fin mon courroux…

DORINE

Hé bien ! on vous croit donc, et c'est tant pis pour vous.
Quoi ? se peut-il, Monsieur, qu'avec l'air d'homme sage
Et cette large barbe au milieu du visage,
Vous soyez assez fou pour vouloir…

ORGON

Écoutez
Vous avez pris céans certaines privautés[1]
Qui ne me plaisent point ; je vous le dis, mamie.

DORINE

Parlons sans nous fâcher, Monsieur, je vous supplie.
Vous moquez-vous des gens d'avoir fait ce complot ?
Votre fille n'est point l'affaire d'un bigot :
Il a d'autres emplois auxquels il faut qu'il pense.
Et puis, que vous apporte une telle alliance ?
À quel sujet aller, avec tout votre bien,
Choisir un gendre gueux ?…

ORGON

Taisez-vous. S'il n'a rien,
Sachez que c'est par là qu'il faut qu'on le révère.
Sa misère est sans doute une honnête misère ;
Au-dessus des grandeurs elle doit l'élever,
Puisque enfin de son bien il s'est laissé priver
Par son trop peu de soin des choses temporelles,

1. Privautés : libertés.

Et sa puissante attache aux choses éternelles.
Mais mon secours pourra lui donner les moyens
De sortir d'embarras et rentrer dans ses biens :
Ce sont fiefs qu'à bon titre au pays[1] on renomme;
Et tel que l'on le voit, il est bien gentilhomme[2].

DORINE

Oui, c'est lui qui le dit : et cette vanité,
Monsieur, ne sied pas bien avec la piété.
Qui d'une sainte vie embrasse l'innocence
Ne doit point tant prôner son nom et sa naissance,
Et l'humble procédé de la dévotion
Souffre mal les éclats de cette ambition.
À quoi bon cet orgueil?... Mais ce discours vous blesse :
Parlons de sa personne, et laissons sa noblesse.
Ferez-vous possesseur, sans quelque peu d'ennui,
D'une fille comme elle un homme comme lui?
Et ne devez-vous pas songer aux bienséances,
Et de cette union prévoir les conséquences?
Sachez que d'une fille on risque la vertu,
Lorsque dans son hymen son goût est combattu,
Que le dessein d'y vivre en honnête personne
Dépend des qualités du mari qu'on lui donne,
Et que ceux dont partout on montre au doigt le front[3]
Font leurs femmes souvent ce qu'on voit qu'elles sont.
Il est bien difficile enfin d'être fidèle
À de certains maris faits d'un certain modèle;
Et qui donne à sa fille un homme qu'elle hait
Est responsable au Ciel des fautes qu'elle fait.
Songez à quels périls votre dessein vous livre.

1. Au pays : dans son pays, c'est-à-dire sa province.
2. Gentilhomme : noble de naissance.
3. Le front : les cornes du mari trompé (métonymie).

ORGON

Je vous dis qu'il me faut apprendre d'elle à vivre.

DORINE

Vous n'en feriez que mieux de suivre mes leçons.

ORGON

Ne nous amusons point, ma fille, à ces chansons :
Je sais ce qu'il vous faut, et je suis votre père.
J'avais donné pour vous ma parole à Valère ;
Mais outre qu'à jouer on dit qu'il est enclin,
Je le soupçonne encor d'être un peu libertin :
Je ne remarque point qu'il hante les églises.

DORINE

Voulez-vous qu'il y coure à vos heures précises,
Comme ceux qui n'y vont que pour être aperçus ?

ORGON

Je ne demande pas votre avis là-dessus.
Enfin avec le Ciel l'autre est le mieux du monde,
Et c'est une richesse à nulle autre seconde.
Cet hymen de tous biens comblera vos désirs,
Il sera tout confit[1] en douceurs et plaisirs.
Ensemble vous vivrez, dans vos ardeurs fidèles,
Comme deux vrais enfants, comme deux tourterelles ;
À nul fâcheux débat jamais vous n'en viendrez,
Et vous ferez de lui tout ce que vous voudrez.

1. Confit de : plein de.

DORINE

Elle ? elle n'en fera qu'un sot[1], je vous assure.

ORGON

Ouais ! quels discours !

DORINE

Je dis qu'il en a l'encolure[2],
Et que son ascendant[3], Monsieur, l'emportera
Sur toute la vertu que votre fille aura.

ORGON

Cessez de m'interrompre, et songez à vous taire,
Sans mettre votre nez où vous n'avez que faire.

DORINE

Je n'en parle, Monsieur, que pour votre intérêt.

Elle l'interrompt toujours au moment qu'il se retourne pour parler à sa fille.

ORGON

C'est prendre trop de soin : taisez-vous, s'il vous plaît.

DORINE

Si l'on ne vous aimait…

ORGON

Je ne veux pas qu'on m'aime.

1. Sot : cocu.
2. Encolure : allure.
3. Ascendant : horoscope.

DORINE

Et je veux vous aimer, Monsieur, malgré vous-même.

ORGON

Ah !

DORINE

Votre honneur m'est cher, et je ne puis souffrir
Qu'aux brocards[1] d'un chacun vous alliez vous offrir.

ORGON

Vous ne vous tairez point ?

DORINE

C'est une conscience[2]
Que de vous laisser faire une telle alliance.

ORGON

Te tairas-tu, serpent, dont les traits effrontés… ?

DORINE

Ah ! vous êtes dévot, et vous vous emportez ?

ORGON

Oui, ma bile s'échauffe à toutes ces fadaises,
Et tout résolument je veux que tu te taises.

DORINE

Soit. Mais, ne disant mot, je n'en pense pas moins.

1. Brocards : moqueries, railleries.
2. Conscience : affaire de conscience.

ORGON

Pense, si tu le veux; mais applique tes soins
À ne m'en point parler, ou… Suffit.

Se retournant vers sa fille.

Comme sage,
J'ai pesé mûrement toutes choses.

DORINE

J'enrage
De ne pouvoir parler.

Elle se tait lorsqu'il tourne la tête.

ORGON

Sans être damoiseau[1],
Tartuffe est fait de sorte…

DORINE

Oui, c'est un beau museau.

ORGON

Que quand tu n'aurais même aucune sympathie
Pour tous les autres dons…

Il se tourne devant elle, et la regarde les bras croisés.

DORINE

La voilà bien lotie!
Si j'étais en sa place, un homme assurément
Ne m'épouserait pas de force impunément;

1. Damoiseau : jeune homme élégant et raffiné.

Et je lui ferais voir bientôt après la fête
Qu'une femme a toujours une vengeance prête.

ORGON

Donc, de ce que je dis on ne fera nul cas?

DORINE

De quoi vous plaignez-vous? Je ne vous parle pas,

ORGON

Qu'est-ce que tu fais donc?

DORINE

Je me parle à moi-même.

ORGON

Fort bien. Pour châtier son insolence extrême,
Il faut que je lui donne un revers de ma main.

Il se met en posture de lui donner un soufflet; et Dorine, à chaque coup d'œil qu'il jette, se tient droite sans parler.

Ma fille, vous devez approuver mon dessein…
Croire que le mari… que j'ai su vous élire…

À Dorine.

Que ne te parles-tu?

DORINE

Je n'ai rien à me dire.

ORGON

Encore un petit mot.

DORINE

Il ne me plaît pas, moi.

ORGON

Certes, je t'y guettais.

DORINE

Quelque sotte[1], ma foi !

ORGON

Enfin, ma fille, il faut payer d'obéissance,
Et montrer pour mon choix entière déférence.

DORINE, *en s'enfuyant*

Je me moquerais fort de prendre un tel époux.

Il lui veut donner un soufflet et la manque.

ORGON

Vous avez là, ma fille, une peste avec vous,
Avec qui sans péché je ne saurais plus vivre.
Je me sens hors d'état maintenant de poursuivre :
Ses discours insolents m'ont mis l'esprit en feu,
Et je vais prendre l'air pour me rasseoir[2] un peu.

1. Quelque sotte : je serais bien sotte, si je le faisais.
2. Me rasseoir : retrouver mon calme.

SCÈNE 3

DORINE, MARIANE

DORINE

Avez-vous donc perdu, dites-moi, la parole,
Et faut-il qu'en ceci je fasse votre rôle ?
Souffrir qu'on vous propose un projet insensé,
Sans que du moindre mot vous l'ayez repoussé !

MARIANE

Contre un père absolu que veux-tu que je fasse ?

DORINE

Ce qu'il faut pour parer une telle menace.

MARIANE

Quoi ?

DORINE

Lui dire qu'un cœur n'aime point par autrui,
Que vous vous mariez pour vous, non pas pour lui,
Qu'étant celle pour qui se fait toute l'affaire,
C'est à vous, non à lui, que le mari doit plaire,
Et que si son Tartuffe est pour lui si charmant,
Il le peut épouser sans nul empêchement.

MARIANE

Un père, je l'avoue, a sur nous tant d'empire,
Que je n'ai jamais eu la force de rien dire.

DORINE

Mais raisonnons. Valère a fait pour vous des pas :
L'aimez-vous, je vous prie, ou ne l'aimez-vous pas ?

MARIANE

Ah ! qu'envers mon amour ton injustice est grande,
Dorine ! me dois-tu faire cette demande ?
T'ai-je pas là-dessus ouvert cent fois mon cœur,
Et sais-tu pas pour lui jusqu'où va mon ardeur ?

DORINE

Que sais-je si le cœur a parlé par la bouche,
Et si c'est tout de bon que cet amant vous touche ?

MARIANE

Tu me fais un grand tort, Dorine, d'en douter,
Et mes vrais sentiments ont su trop éclater.

DORINE

Enfin, vous l'aimez donc ?

MARIANE

Oui, d'une ardeur extrême.

DORINE

Et selon l'apparence il vous aime de même ?

MARIANE

Je le crois.

DORINE

Et tous deux brûlez également
De vous voir mariés ensemble ?

MARIANE

Assurément.

DORINE

Sur cette autre union quelle est donc votre attente ?

MARIANE

De me donner la mort si l'on me violente[1].

DORINE

Fort bien : c'est un recours où je ne songeais pas ;
Vous n'avez qu'à mourir pour sortir d'embarras ;
Le remède sans doute est merveilleux. J'enrage
Lorsque j'entends tenir ces sortes de langage.

MARIANE

Mon Dieu ! de quelle humeur, Dorine, tu te rends !
Tu ne compatis point aux déplaisirs des gens.

DORINE

Je ne compatis point à qui dit des sornettes
Et dans l'occasion[2] mollit comme vous faites.

MARIANE

Mais que veux-tu ? si j'ai de la timidité.

1. Violente : contraint par la force.
2. Occasion : adversité, combat (terme militaire).

DORINE

Mais l'amour dans un cœur veut de la fermeté.

MARIANE

Mais n'en gardé-je pas pour les feux de Valère?
Et n'est-ce pas à lui de m'obtenir d'un père?

DORINE

Mais quoi? si votre père est un bourru fieffé,
Qui s'est de son Tartuffe entièrement coiffé
Et manque à l'union qu'il avait arrêtée,
La faute à votre amant doit-elle être imputée?

MARIANE

Mais par un haut refus et d'éclatants mépris
Ferai-je dans mon choix voir un cœur trop épris?
Sortirai-je pour lui, quelque éclat dont il brille,
De la pudeur du sexe et du devoir de fille?
Et veux-tu que mes feux par le monde étalés...?

DORINE

Non, non, je ne veux rien. Je vois que vous voulez
Être à Monsieur[1] Tartuffe; et j'aurais, quand j'y pense,
Tort de vous détourner d'une telle alliance.
Quelle raison aurais-je à combattre vos vœux?
Le parti de soi-même est fort avantageux.
Monsieur Tartuffe! oh! oh! n'est-ce rien qu'on propose?
Certes, Monsieur Tartuffe, à bien prendre la chose,
N'est pas un homme, non, qui se mouche du pied[2],

1. Monsieur : Dorine l'emploie dans un sens ironique (ce mot signale une grande considération à l'époque).
2. Qui se mouche du pied : qui est prétentieux.

Et ce n'est pas peu d'heur[1] que d'être sa moitié.
Tout le monde déjà de gloire le couronne;
Il est noble chez lui[2], bien fait de sa personne;
Il a l'oreille rouge et le teint bien fleuri :
Vous vivrez trop contente avec un tel mari.

MARIANE

Mon Dieu!...

DORINE

Quelle allégresse aurez-vous dans votre âme,
Quand d'un époux si beau vous vous verrez la femme!

MARIANE

Ha! cesse, je te prie, un semblable discours,
Et contre cet hymen ouvre-moi du secours.
C'en est fait, je me rends, et suis prête à tout faire.

DORINE

Non, il faut qu'une fille obéisse à son père,
Voulût-il lui donner un singe pour époux.
Votre sort est fort beau : de quoi vous plaignez vous?
Vous irez par le coche[3], en sa petite ville,
Qu'en oncles et cousins vous trouverez fertile,
Et vous vous plairez fort à les entretenir.
D'abord chez le beau monde on vous fera venir;
Vous irez visiter, pour votre bienvenue,
Madame la baillive et Madame l'élue[4],

1. Heur : bonheur, chance.
2. Chez lui : dans sa province.
3. Coche : moyen de transport peu cher et peu confortable.
4. Madame la Baillive et Madame l'élue : il s'agit des femmes des notables de province.

Qui d'un siège pliant vous feront honorer.
Là, dans le carnaval, vous pourrez espérer
Le bal et la grand-bande[1], à savoir, deux musettes,
Et parfois Fagotin[2] et les marionnettes,
Si pourtant votre époux…

MARIANE

Ah ! tu me fais mourir.
De tes conseils plutôt songe à me secourir.

DORINE

Je suis votre servante.

MARIANE

Eh ! Dorine, de grâce…

DORINE

Il faut, pour vous punir, que cette affaire passe[3].

MARIANE

Ma pauvre fille !

DORINE

Non.

MARIANE

Si mes vœux déclarés…

1. La grand-bande : il s'agit des vingt-quatre violons du roi. L'expression est ironique et désigne ici un mauvais orchestre de province.
2. Fagotin : singe savant, célèbre à l'époque.
3. Passe : se fasse.

DORINE

Point : Tartuffe est votre homme, et vous en tâterez.

MARIANE

Tu sais qu'à toi toujours je me suis confiée :
Fais-moi…

DORINE

Non, vous serez, ma foi ! tartuffiée.

MARIANE

Hé bien ! puisque mon sort ne saurait t'émouvoir,
Laisse-moi désormais toute à mon désespoir :
C'est de lui que mon cœur empruntera de l'aide,
Et je sais de mes maux l'infaillible remède.

Elle veut s'en aller.

DORINE

Hé ! là, là, revenez. Je quitte mon courroux.
Il faut, nonobstant tout, avoir pitié de vous.

MARIANE

Vois-tu, si l'on m'expose à ce cruel martyre,
Je te le dis, Dorine, il faudra que j'expire.

DORINE

Ne vous tourmentez point. On peut adroitement
Empêcher… Mais voici Valère, votre amant.

SCÈNE 4

VALÈRE, MARIANE, DORINE

VALÈRE

On vient de débiter, Madame[1], une nouvelle
Que je ne savais pas, et qui sans doute est belle.

MARIANE

Quoi ?

VALÈRE

Que vous épousez Tartuffe.

MARIANE

Il est certain
Que mon père s'est mis en tête ce dessein.

VALÈRE

Votre père, Madame…

MARIANE

A changé de visée :
La chose vient par lui de m'être proposée.

VALÈRE

Quoi ? sérieusement ?

1. Madame : Titre donné également aux jeunes filles de bonne famille.

MARIANE

Oui, sérieusement.
Il s'est pour cet hymen déclaré hautement.

VALÈRE

Et quel est le dessein où votre âme s'arrête,
Madame ?

MARIANE

Je ne sais.

VALÈRE

La réponse est honnête.
Vous ne savez ?

MARIANE

Non.

VALÈRE

Non ?

MARIANE

Que me conseillez-vous ?

VALÈRE

Je vous conseille, moi, de prendre cet époux.

MARIANE

Vous me le conseillez ?

VALÈRE

Oui.

MARIANE

Tout de bon?

VALÈRE

Sans doute :
Le choix est glorieux, et vaut bien qu'on l'écoute.

MARIANE

Hé bien! c'est un conseil, Monsieur, que je reçois.

VALÈRE

Vous n'aurez pas grand-peine à le suivre, je crois.

MARIANE

Pas plus qu'à le donner en a souffert votre âme.

VALÈRE

Moi, je vous l'ai donné pour vous plaire, Madame.

MARIANE

Et moi, je le suivrai pour vous faire plaisir.

DORINE

Voyons ce qui pourra de ceci réussir.

VALÈRE

C'est donc ainsi qu'on aime? Et c'était tromperie
Quand vous...

MARIANE

Ne parlons point de cela, je vous prie.
Vous m'avez dit tout franc que je dois accepter

Celui que pour époux on me veut présenter :
Et je déclare, moi, que je prétends le faire,
Puisque vous m'en donnez le conseil salutaire.

VALÈRE

Ne vous excusez point sur[1] mes intentions.
Vous aviez pris déjà vos résolutions ;
Et vous vous saisissez d'un prétexte frivole
Pour vous autoriser à manquer de parole.

MARIANE

Il est vrai, c'est bien dit.

VALÈRE

Sans doute ; et votre cœur
N'a jamais eu pour moi de véritable ardeur.

MARIANE

Hélas ! permis à vous d'avoir cette pensée.

VALÈRE

Oui, oui, permis à moi ; mais mon âme offensée
Vous préviendra[2] peut-être en un pareil dessein ;
Et je sais où porter et mes vœux et ma main.

MARIANE

Ah ! je n'en doute point ; et les ardeurs qu'excite
Le mérite…

1. Sur : en prenant prétexte de.
2. Préviendra : devancera.

VALÈRE

Mon Dieu, laissons là le mérite
J'en ai fort peu sans doute, et vous en faites foi.
Mais j'espère aux bontés qu'une autre aura pour moi,
Et j'en sais de qui l'âme, à ma retraite ouverte[1],
Consentira sans honte à réparer ma perte.

MARIANE

La perte n'est pas grande ; et de ce changement
Vous vous consolerez assez facilement.

VALÈRE

J'y ferai mon possible, et vous le pouvez croire.
Un cœur qui nous oublie engage notre gloire[2] ;
Il faut à l'oublier mettre aussi tous nos soins :
Si l'on n'en vient à bout, on le doit feindre au moins ;
Et cette lâcheté jamais ne se pardonne,
De montrer de l'amour pour qui nous abandonne.

MARIANE

Ce sentiment, sans doute, est noble et relevé.

VALÈRE

Fort bien ; et d'un chacun il doit être approuvé.
Hé quoi ? vous voudriez qu'à jamais dans mon âme
Je gardasse pour vous les ardeurs de ma flamme,
Et vous visse, à mes yeux, passer en d'autres bras,
Sans mettre ailleurs un cœur dont vous ne voulez pas ?

1. À ma retraite ouverte : qui profitera de notre rupture.
2. Gloire : fierté, amour-propre.

MARIANE

Au contraire : pour moi, c'est ce que je souhaite;
Et je voudrais déjà que la chose fût faite.

VALÈRE

Vous le voudriez?

MARIANE

Oui.

VALÈRE

C'est assez m'insulter,
Madame; et de ce pas je vais vous contenter.

Il fait un pas pour s'en aller et revient toujours.

MARIANE

Fort bien.

VALÈRE

Souvenez-vous au moins que c'est vous-même
Qui contraignez mon cœur à cet effort extrême.

MARIANE

Oui.

VALÈRE

Et que le dessein que mon âme conçoit
N'est rien qu'à votre exemple.

MARIANE

À mon exemple, soit.

VALÈRE

Suffit : vous allez être à point nommé servie.

MARIANE

Tant mieux.

VALÈRE

Vous me voyez, c'est pour toute ma vie[1].

MARIANE

À la bonne heure.

VALÈRE, *il s'en va ; et, lorsqu'il est vers la porte il se retourne*

Euh ?

MARIANE

Quoi ?

VALÈRE

Ne m'appelez-vous pas ?

MARIANE

Moi ? Vous rêvez.

VALÈRE

Hé bien ! je poursuis donc mes pas.

Adieu, Madame.

1. Vous me voyez, c'est pour toute ma vie : c'est la dernière fois que vous me voyez.

MARIANE

Adieu, Monsieur.

DORINE

Pour moi, je pense
Que vous perdez l'esprit par cette extravagance;
Et je vous ai laissé tout du long quereller,
Pour voir où tout cela pourrait enfin aller.
Holà! Seigneur Valère.

Elle va l'arrêter par le bras, et lui, fait mine de grande résistance.

VALÈRE

Hé! que veux-tu, Dorine?

DORINE

Venez ici.

VALÈRE

Non, non, le dépit me domine.
Ne me détourne point de ce qu'elle a voulu.

DORINE

Arrêtez.

VALÈRE

Non, vois-tu? c'est un point résolu.

DORINE

Ah!

MARIANE

Il souffre à me voir, ma présence le chasse,
Et je ferai bien mieux de lui quitter la place.

DORINE, *elle quitte Valère et court à Mariane*

À l'autre. Où courez-vous ?

MARIANE

Laisse.

DORINE

Il faut revenir.

MARIANE

Non, non, Dorine ; en vain tu veux me retenir.

VALÈRE

Je vois bien que ma vue est pour elle un supplice,
Et sans doute il vaut mieux que je l'en affranchisse.

DORINE, *elle quitte Mariane et court à Valère*

Encor, Diantre soit fait de vous si je le veux[1] !
Cessez ce badinage, et venez çà tous deux.

Elle les tire l'un et l'autre.

VALÈRE

Mais quel est ton dessein ?

1. Diantre soit fait de vous si je le veux : que le diable vous emporte si je vous laisse partir.

MARIANE

Qu'est-ce que tu veux faire ?

DORINE

Vous bien remettre ensemble, et vous tirer d'affaire.
Êtes-vous fou d'avoir un pareil démêlé ?

VALÈRE

N'as-tu pas entendu comme elle m'a parlé ?

DORINE

Êtes-vous folle, vous, de vous être emportée ?

MARIANE

N'as-tu pas vu la chose, et comme il m'a traitée ?

DORINE

Sottise des deux parts. Elle n'a d'autre soin
Que de se conserver à vous, j'en suis témoin.
Il n'aime que vous seule, et n'a point d'autre envie
Que d'être votre époux ; j'en réponds sur ma vie.

MARIANE

Pourquoi donc me donner un semblable conseil ?

VALÈRE

Pourquoi m'en demander sur un sujet pareil ?

DORINE

Vous êtes fous tous deux. Çà, la main, l'un et l'autre.
Allons, vous.

VALÈRE, *en donnant sa main à Dorine*
À quoi bon ma main ?

DORINE

Ah ! çà, la vôtre.

MARIANE, *en donnant aussi sa main*
De quoi sert tout cela ?

DORINE

Mon Dieu ! vite, avancez.
Vous vous aimez tous deux plus que vous ne pensez.

VALÈRE

Mais ne faites donc point les choses avec peine,
Et regardez un peu les gens sans nulle haine.

Mariane tourne l'œil sur Valère et fait un petit souris.

DORINE

À vous dire le vrai, les amants sont bien fous !

VALÈRE

Ho çà, n'ai-je pas lieu de me plaindre de vous ?
Et, pour n'en point mentir, n'êtes-vous pas méchante
De vous plaire à me dire une chose affligeante ?

MARIANE

Mais vous, n'êtes-vous pas l'homme le plus ingrat… ?

DORINE

Pour une autre saison laissons tout ce débat,
Et songeons à parer[1] ce fâcheux mariage.

MARIANE

Dis-nous donc quels ressorts il faut mettre en usage.

DORINE

Nous en ferons agir de toutes les façons.
Votre père se moque, et ce sont des chansons;
Mais pour vous, il vaut mieux qu'à son extravagance
D'un doux consentement vous prêtiez l'apparence,
Afin qu'en cas d'alarme il vous soit plus aisé
De tirer en longueur cet hymen proposé.
En attrapant du temps, à tout on remédie.
Tantôt vous payerez de[2] quelque maladie,
Qui viendra tout à coup et voudra[3] des délais;
Tantôt vous payerez de présages mauvais :
Vous aurez fait d'un mort la rencontre fâcheuse,
Cassé quelque miroir, ou songé d'eau bourbeuse.
Enfin le bon de tout c'est qu'à d'autres qu'à lui
On ne vous peut lier, que vous ne disiez «oui».
Mais pour mieux réussir, il est bon, ce me semble,
Qu'on ne vous trouve point tous deux parlant ensemble.

À Valère.

Sortez, et sans tarder, employez vos amis,
Pour vous faire tenir ce qu'on vous a promis.
Nous allons réveiller les efforts de son frère,

1. Parer : éviter.
2. Payerez de : prétexterez.
3. Voudra : nécessitera, exigera.

Et dans notre parti jeter la belle-mère[1].
Adieu.

VALÈRE, *à Mariane*

Quelques efforts que nous préparions tous,
Ma plus grande espérance, à vrai dire, est en vous.

MARIANE, *à Valère*

Je ne vous réponds pas des volontés d'un père
Mais je ne serai point à d'autre qu'à Valère.

VALÈRE

Que vous me comblez d'aise ! Et quoi que puisse oser…

DORINE

Ah ! jamais les amants ne sont las de jaser.
Sortez, vous dis-je.

VALÈRE, *il fait un pas et revient*

Enfin…

DORINE

Quel caquet est le vôtre !
Les poussant chacun par l'épaule.

Tirez de cette part[2] ; et vous, tirez de l'autre.

1. Belle-mère : Elmire, seconde femme d'Orgon.
2. Tirez de cette part : allez de ce côté.

Arrêt sur lecture 3

Tout s'emmêle !

L'acte d'exposition* se termine sur une inquiétude… Une forte menace plane sur le mariage de Mariane et de Valère : Orgon, qui s'y est pourtant engagé avant même que l'action ne démarre, semble ne plus vouloir tenir sa promesse. L'acte II transforme cette menace en réalité : Orgon a effectivement d'autres projets pour sa fille et a pris la ferme décision de la marier… à Tartuffe. Les craintes exprimées par Damis et par Cléante au cours de l'acte I se concrétisent dès le début de ce deuxième acte.

L'acte II se trouve donc exclusivement centré sur le mariage de Mariane qui constitue le premier péril de la pièce.

Examinons d'un peu plus près la structure de cet acte. L'examen des didascalies au début de chaque scène (qui ont pour fonction d'indiquer quels sont les acteurs en présence) nous apprend que Mariane est présente dans les quatre scènes qui composent cet acte. Cette simple observation signale d'emblée que l'action est entièrement centrée sur Mariane, et cela de deux manières, d'une part par le mariage qu'on lui refuse, d'autre part par celui qu'on cherche à lui imposer. Mariane, parce qu'elle se trouve au centre des discussions, est également au centre de l'acte. Plus que de présence, on peut parler pour ce protagoniste d'omniprésence.

Le conflit au cœur de l'acte

Cet acte n'est constitué que de querelles qui s'enchaînent les unes après les autres, tel un jeu de dominos. Mariane se dispute avec Orgon (scène 1); Orgon se dispute avec Dorine (scène 2); Dorine se dispute avec Mariane (scène 3); Mariane, enfin, se dispute avec Valère (scène 4). Ces conflits en chaîne ont tous pour objet le mariage de Mariane.

Reprenons tous ces conflits un à un.

Le conflit père-fille – La première scène s'ouvre sur un conflit opposant Orgon à Mariane. Elle commence par un échange de propos solennels (jusqu'au vers 440) qui provoque un quiproquo* entre les deux interlocuteurs. Un quiproquo* est une méprise ou une erreur consistant à prendre une chose pour une autre. Pour quelle raison Orgon veut-il «parler en secret» à Mariane, si ce n'est pour évoquer son mariage? Et avec qui ce mariage est-il prévu, sinon avec Valère? Ce quiproquo* explique la soumission et le respect dont fait preuve Mariane à l'égard de son père dans les propos liminaires. Il est mis fin à ce quiproquo* au vers 445, lorsque Orgon dévoile ses véritables intentions. Ce renversement de situation pousse Mariane à tenter d'affronter son père à partir du vers 449 et fait basculer la scène de l'entente au conflit.

Le conflit maître-domestique : l'intervention de Dorine – Mariane n'a guère le temps de convaincre son père de ne pas la marier à Tartuffe. Dorine intervient soudainement. Parlant à la place de Mariane, elle s'oppose de manière frontale à Orgon et devient en quelque sorte le porte-parole de la jeune fille. Mariane, personnage muet (elle n'interviendra à aucun moment dans cette scène), assiste impuissante à ce conflit et laisse à Dorine le soin de défendre vigoureusement ses intérêts. Cette querelle maître-domestique s'articule en trois mouvements bien distincts. Dorine commence par s'opposer à Orgon sur le mode de la raillerie (vers 466 à 472); vous pouvez d'ailleurs repérer le vocabulaire de la dérision employé par la suivante. Constatant l'inefficacité de ce procédé, Dorine élabore une nouvelle stratégie et va désormais opposer à Orgon des arguments valides et fondés (vers 473 à 540). Cet échange d'arguments est l'occasion pour Dorine et Orgon d'exposer et d'opposer leurs points de vue. Leurs opinions divergent bien évidemment sur le personnage de Tartuffe, mais plus encore sur la réalité du mariage. Cette scène permet alors de confronter deux visions du mariage : l'une réaliste, voire crue, que propose Dorine (vers 503 à 517) et dans laquelle elle expose les risques d'adultère engendrés par un « mauvais mariage »; l'autre « embellie », idéalisée, presque naïve, que propose à son tour Orgon (vers 531 à 536). Enfin, afin de faire baisser la tension dramatique, la scène bascule et s'achève dans le comique. Orgon, à court d'arguments, ne peut opposer à Dorine qu'un autoritarisme vain et des menaces... qui se révéleront sans succès. Le passage du vouvoiement au tutoiement au vers 551 révèle bien qu'Orgon, poussé jusque dans ses derniers retranchements, s'avoue impuissant, non seulement à convaincre Dorine, mais encore à la faire taire. La présence, à la fin de la scène, de nombreuses didascalies kinésiques (indications concernant la mise en scène et la gestuelle) indiquent que la mise en scène devient extrêmement vive et virevoltante; plus encore, ces didascalies signalent qu'à un comique de mots se superpose un comique de geste. La scène s'achève alors avec le soufflet manqué d'Orgon – qui fait écho au soufflet réussi de la scène d'exposition* – qui la fait basculer dans la plus pure tradition du comique de farce*.

Le conflit maîtresse-suivante – À la scène suivante, Dorine reproche à Mariane son apathie et son inertie. Faisant preuve d'une ironie mordante et cherchant par tous les moyens (même les plus cruels et les plus crus) à piquer son orgueil, Dorine invite la jeune fille à l'action et l'exhorte à affronter la volonté paternelle. Mariane lui oppose deux types d'arguments pour justifier sa passivité : l'obéissance nécessaire à la toute-puissance paternelle d'une part, les « pudeurs du sexe » d'autre part. Refusant d'agir, elle ne peut opposer à la volonté paternelle que la menace du suicide ! Derrière le personnage de Mariane apparaît déjà la silhouette de l'héroïne romanesque.

Le conflit des amants : la scène de dépit amoureux – Enfin, l'acte se clôt par une scène de dépit amoureux entre les deux amants, Mariane et Valère. Cette brouille passagère est provoquée par un malentendu sur le « je ne sais » de Mariane au vers 694. Dorine, d'abord amusée par cette brouille qui lui paraît sans conséquence (relevez l'aparté* au vers 704), intervient quand elle comprend que les choses pourraient mal tourner. Elle va donc s'employer à réconcilier les deux amants. Examinez comment, dans la fin de la scène, les amants jouent et se jouent la comédie : leurs paroles (la rupture est, disent-ils, irrémédiablement consommée) sont instantanément contredites et démenties par leurs gestes qui expriment leur volonté de se réconcilier et l'amour qu'ils continuent de se porter.

Structure de l'acte

Cet acte est construit de manière parfaitement symétrique. Il s'ouvre sur une scène à deux personnages (Orgon et Mariane), se poursuit avec une scène à trois personnages (Orgon, Dorine et Mariane qui est alors un personnage muet) ; de nouveau une scène à deux personnages (Dorine et Mariane), suivie elle aussi d'une scène à trois personnages (Mariane, Valère et Dorine, témoin de la scène, mais qui ne se contente pas de rester un personnage muet et intervient à la fin de la scène afin de réconcilier les amants). Vous pouvez alors repérer une structure symétrique, avec une variante finale (l'intervention de Dorine), permettant d'éviter la monotonie de la répétition.

On s'aperçoit de même que le malentendu et l'erreur sont les thèmes centraux de cet acte et que ce sont ces thèmes qui ouvrent et ferment l'acte, et en assurent la structure dynamique.

Ces conflits en cascade restent également l'occasion de grandes scènes comiques où toutes les forces et tous les ressorts du comique sont exploités.

L'acte de Dorine – Nous avons remarqué que Mariane était le personnage central de cet acte et qu'elle se trouvait d'ailleurs en permanence sur le devant de la scène. Pour autant, Mariane vous semble-t-elle le principal protagoniste de ce deuxième acte ? Il semble bien plutôt que Dorine en soit le personnage dominant. Le nombre de vers qu'elle prononce en est un indice significatif. Mariane, présente dans les scènes de l'acte, ne prononce que 79 vers, alors que Dorine, n'apparaissant qu'à la deuxième scène, en prononce presque trois fois plus (175 exactement). Dorine doit aussi être considérée comme le personnage dominant de l'acte puisque c'est elle qui, pour la première fois dans la pièce, affronte Orgon et s'oppose de façon aussi radicale à ses desseins. Sa fonction essentielle dans cet acte consiste à faire obstacle à la volonté d'Orgon, à mettre en évidence son ridicule aveuglement en lui opposant à la fois des valeurs justes et simples, un indéniable bon sens et une lucidité proche du prosaïsme. Elle confirme dans cet acte ce qu'a dit d'elle Madame Pernelle dans la scène d'exposition* : Dorine est une fille « forte en gueule ». Certes. Mais son franc-parler et ses interventions intempestives témoignent d'un dévouement sans faille à l'égard de sa jeune maîtresse et de toute la famille d'Orgon.

Comme la plupart des domestiques dans les œuvres de Molière, Dorine incarne un sens des réalités qui contraste fortement avec la monomanie de son maître. Les domestiques ne sont guère des faire-valoir dans les pièces de Molière ; au contraire, une fonction essentielle leur est dévolue : celle du rire. Aussi Dorine est-elle la dépositaire du comique dans *Le Tartuffe*. C'est elle qui suscite le rire, mais jamais à ses dépens : si le spectateur rit avec elle, à aucun moment il ne rit d'elle. Elle crée au contraire une complicité, une connivence avec le public. Dorine est en quelque sorte le pendant populaire de Cléante : comme lui, elle cherche à raisonner Orgon mais ses arguments sont moins raisonnés, plus triviaux et souvent plus crus.

La stichomythie – Vous n'avez sans doute pas manqué de repérer, à la lecture de cet acte, le contraste existant entre de longues répliques et des répliques au contraire plus courtes. Dans ces brèves reparties, d'une longueur d'un demi à deux vers environ, les interlocuteurs se répondent vers pour vers. Ce procédé est celui de la stichomythie*. La stichomythie, très présente dans ce deuxième acte, rend compte d'un affrontement verbal, d'un vif échange de propos et se repère aisément, par exemple dans la scène 4, au moment où les deux jeunes amants se querellent. Vous en trouvez un exemple tout à fait éclairant dans les vers 699 à 703 :

> **Mariane – Hé bien ! c'est un conseil, Monsieur, que je reçois.**
> **Valère – Vous n'aurez pas grand-peine à le suivre, je crois.**
> **Mariane – Pas plus qu'à le donner en a souffert votre âme.**
> **Valère – Moi, je vous l'ai donné pour vous plaire, Madame.**
> **Mariane – Et moi, je le suivrai pour vous faire plaisir.**

Dans cette scène, de surcroît, le procédé de la stichomythie est associé à un effet de répétition : chacun des amants reprend un élément de la phrase de l'autre pour sa propre réplique.

Une peinture sociale

On voit dans cet acte deux jeunes amants dont le mariage est compromis par un père tyrannique, en l'occurrence Orgon, qui veut absolument marier sa fille à un prétendant qu'il aura lui-même choisi. Ce canevas d'intrigue* est fortement classique, voire banal : on le trouve dans de nombreuses pièces de Molière (allez donc, par exemple, jeter un petit coup d'œil du côté de *L'Avare* ou du *Bourgeois gentilhomme*). Molière a emprunté ce schéma et cette structure à la comédie italienne. Pour rebattu qu'il soit, ce thème des amours contrariées permet à Molière d'offrir une peinture sociale juste et corrosive.

Les paradoxes de l'autorité paternelle

Cet acte est tout d'abord l'occasion pour Molière de brosser un tableau parfaitement réaliste et réussi des rapports hiérarchiques qui sont instaurés au sein de la cellule familiale. Aussi insiste-t-il de prime abord sur l'autorité paternelle, voire la toute-puissance de cette figure dans la structure familiale : Mariane ne parle-t-elle pas de « père absolu » au vers 589 et de l'« empire » (vers 597) qu'il exerce sur les membres de sa famille ?

À cette figure paternelle s'oppose au contraire celle de la jeune fille soumise, condamnée au respect et à l'obéissance, ainsi que le lui rappelle Orgon, notamment au vers 436 (« Vous devez n'avoir soin que de me contenter »). Cette emprise du père de famille sur ses enfants se manifeste alors à travers la tradition des mariages arrangés où le père de la jeune fille décide de la marier, non pas en fonction de ses goûts ou de sa volonté à elle, mais à la seule fin de préserver les intérêts de la famille : en fait, il ne lui choisit guère un époux, mais se choisit un gendre, c'est-à-dire une descendance. Le mariage a donc pour principal objet de servir les intérêts généraux de la famille et tout (tous) doit (doivent) être sacrifié(s) à cette visée. Les enfants ne sont par conséquent qu'un moyen permettant à deux familles de s'unir et de concilier leurs intérêts. C'est bien ce qui se passe dans *Le Tartuffe* : pour Orgon, Mariane n'est qu'un moyen lui permettant de s'allier définitivement à Tartuffe. Si le schéma de l'intrigue* correspond bien ici à une réalité sociale (Orgon cherche effectivement à imposer à Mariane le prétendant qu'il lui a choisi), l'objectif théoriquement recherché par le mariage n'est pas atteint : le gendre qu'il a élu dessert les intérêts de la famille. C'est d'ailleurs un des arguments avancés par Dorine aux vers 482 à 484 pour s'opposer à la volonté d'Orgon et tenter de le ramener à la raison :

> **Et puis, que vous apporte une telle alliance ?**
> **À quel sujet aller, avec tout votre bien,**
> **Choisir un gendre gueux ?...**

Si Orgon se comporte bien comme un père tyrannique, il ne remplit guère la fonction qui lui est dévolue et qui l'autorise à exercer un tel pouvoir, c'est-à-dire préserver les intérêts familiaux.

La satire de la vie provinciale

Cet acte est également pour Molière l'occasion de proposer une peinture de la vie de province à travers le tableau que brosse, à la scène 3, Dorine à Mariane de la vie qui sera la sienne une fois qu'elle aura épousé Tartuffe.

Un acte de trop ?

De nombreux critiques ont estimé que cet acte était superflu et retardait inutilement l'action. Certains sont même allés jusqu'à prétendre qu'il s'agissait d'un acte ajouté hâtivement par Molière pour conférer à sa pièce les dimensions d'une grande comédie*. L'acte II serait en quelque sorte une « pièce rapportée », un acte bavard et inconsistant, sans réel intérêt. Il n'en est rien. Bien au contraire, l'acte II remplit des fonctions évidentes et participe à la structure dramatique. Tout d'abord, il offre au spectateur, le temps d'un acte, une respiration heureuse avant les divers périls auxquels vont être confrontés les protagonistes dans les actes à venir. Par ailleurs, la cohérence dramatique est préservée. En effet, l'unité dramatique est assurée par la présence d'Orgon qui, en clôturant le premier acte et en ouvrant le deuxième, sert de lien, voire de transition, entre le premier et le deuxième acte. De la même façon, l'acte II s'achève sur l'annonce du rôle que pourra jouer Elmire dans la résolution de l'intrigue*. Certes, Dorine présente à Mariane à la fin de la scène 4 un grand nombre de subterfuges lui permettant de différer son union avec Tartuffe (vers 797 à 807) mais elle achève cette liste par la nécessaire et sans doute très utile intervention d'Elmire (vers 814), et annonce ainsi la suite de la pièce.

Où est Tartuffe ?

Cette question devient de plus en plus brûlante pour le spectateur (et pour vous, lecteur). À la fin de l'exposition*, tout semblait en place pour permettre l'arrivée du principal protagoniste mais son arrivée est encore différée. Pourtant, tout ce qui s'y passe est entièrement lié à son intrusion dans la maison d'Orgon. La présence invisible de Tartuffe crée par conséquent l'unité de l'acte, centré sur la première perturbation causée par Tartuffe, à savoir le mariage de Mariane et Valère. L'acte II ne montre pas Tartuffe, mais révèle les multiples **effets** de sa présence. Orgon a rompu son engagement. Plus encore, les jeunes amants se disputent, et Tartuffe est parvenu, le temps d'une scène, à semer le doute dans l'esprit des amants : encore un des effets de ce redoutable parasite ! Dans le même temps, ce deuxième acte constitue le moment où le portrait de ce protagoniste se trouve affiné et aiguisé, afin, ainsi que le justifie Molière dans sa préface, de « préparer la venue de [ce] scélérat ». Le spectateur attend l'arrivée de Tartuffe avec une impatience grandissante et se sent armé pour démasquer sans délai (et s'il est encore besoin) l'hypocrite sous le dévot.

Une pièce dans la pièce ?

Enfin, cet acte, qui est le plus bref de la pièce, peut être considéré comme « une pièce dans la pièce », une comédie dans la comédie* en quelque sorte. Aussi, contrairement aux autres actes, cet acte s'achève, non pas sur une inquiétude, mais dans l'allégresse et dans la joie (d'aucuns diraient même dans l'euphorie). Cette fin contient en creux la fin de la pièce et son dénouement* heureux. Pour autant, la pièce est loin d'être terminée…

à vous…

1 – Montrez comment se manifeste dans les deux premières scènes de l'acte II l'autorité d'Orgon. Ne peut-on parler à son égard d'autoritarisme ? Justifiez votre réponse.

2 – Étudiez les procédés et les éléments qui disqualifient la vie qui attend Mariane si elle épouse Tartuffe dans les vers 656-667.

ACTE III

SCÈNE 1

DAMIS, DORINE

DAMIS

Que la foudre sur l'heure achève mes destins,
Qu'on me traite partout du plus grand des faquins[1]
S'il est aucun respect ni pouvoir qui m'arrête,
Et si je ne fais pas quelque coup de ma tête !

DORINE

De grâce, modérez un tel emportement :
Votre père n'a fait qu'en parler simplement.
On n'exécute pas tout ce qui se propose,
Et le chemin est long du projet à la chose.

DAMIS

Il faut que de ce fat j'arrête les complots,
Et qu'à l'oreille un peu je lui dise deux mots.

1. Faquins : individus méprisables.

DORINE

Ha ! tout doux ! Envers lui, comme envers votre père,
Laissez agir les soins de votre belle-mère.
Sur l'esprit de Tartuffe elle a quelque crédit ;
Il se rend complaisant à tout ce qu'elle dit,
Et pourrait bien avoir douceur de cœur pour elle.
Plût à Dieu qu'il fût vrai ! la chose serait belle.
Enfin votre intérêt[1] l'oblige à le mander ;
Sur l'hymen qui vous trouble elle veut le sonder,
Savoir ses sentiments, et lui faire connaître
Quels fâcheux démêlés il pourra faire naître,
S'il faut qu'à ce dessein il prête quelque espoir.
Son valet dit qu'il prie, et je n'ai pu le voir ;
Mais ce valet m'a dit qu'il s'en allait descendre.
Sortez donc, je vous prie, et me laissez l'attendre.

DAMIS

Je puis être présent à tout cet entretien.

DORINE

Point. Il faut qu'ils soient seuls.

DAMIS

Je ne lui dirai rien.

DORINE

Vous vous moquez : on sait vos transports ordinaires
Et c'est le vrai moyen de gâter les affaires.
Sortez.

1. Votre intérêt : l'intérêt qu'Elmire vous porte.

DAMIS

Non : je veux voir, sans me mettre en courroux.

DORINE

Que vous êtes fâcheux ! Il vient. Retirez-vous.

SCÈNE 2

TARTUFFE, LAURENT, DORINE

TARTUFFE, *apercevant Dorine*

Laurent, serrez[1] ma haire avec ma discipline[2] ;
Et priez que toujours le Ciel vous illumine.
Si l'on vient pour me voir, je vais aux prisonniers
Des aumônes que j'ai partager les deniers.

DORINE

Que d'affectation et de forfanterie[3] !

TARTUFFE

Que voulez-vous ?

DORINE

Vous dire…

1. Serrez : rangez.
2. Ma haire avec ma discipline : instruments de pénitence. La haire est une chemise de crin, la discipline, un petit fouet.
3. Forfanterie : vantardise, tromperie.

TARTUFFE, *il tire un mouchoir de sa poche*

Ah ! mon Dieu, je vous prie,
Avant que de parler prenez-moi ce mouchoir.

DORINE

Comment ?

TARTUFFE

Couvrez ce sein que je ne saurais voir :
Par de pareils objets les âmes sont blessées,
Et cela fait venir de coupables pensées.

DORINE

Vous êtes donc bien tendre à la tentation,
Et la chair sur vos sens fait grande impression !
Certes, je ne sais pas quelle chaleur vous monte :
Mais à convoiter, moi, je ne suis point si prompte,
Et je vous verrais nu du haut jusques en bas,
Que toute votre peau ne me tenterait pas.

TARTUFFE

Mettez dans vos discours un peu de modestie[1],
Ou je vais sur-le-champ vous quitter la partie.

DORINE

Non, non, c'est moi qui vais vous laisser en repos,
Et je n'ai seulement qu'à vous dire deux mots.
Madame va venir dans cette salle basse,
Et d'un mot d'entretien vous demande la grâce.

1. Modestie : modération, retenue.

TARTUFFE

Hélas, très volontiers.

DORINE, *en soi-même*

Comme il se radoucit!
Ma foi, je suis toujours pour ce que j'en ai dit.

TARTUFFE

Viendra-t-elle bientôt?

DORINE

Je l'entends, ce me semble.
Oui, c'est elle en personne, et je vous laisse ensemble.

SCÈNE 3

ELMIRE, TARTUFFE

TARTUFFE

Que le Ciel à jamais par sa toute bonté
Et de l'âme et du corps vous donne la santé,
Et bénisse vos jours autant que le désire
Le plus humble de ceux que son amour inspire.

ELMIRE

Je suis fort obligée à ce souhait pieux.
Mais prenons une chaise, afin d'être un peu mieux.

TARTUFFE

Comment de votre mal vous sentez-vous remise?

ELMIRE

Fort bien ; et cette fièvre a bientôt quitté prise.

TARTUFFE

Mes prières n'ont pas le mérite qu'il faut
Pour avoir attiré cette grâce d'en haut ;
Mais je n'ai fait au Ciel nulle dévote instance[1]
Qui n'ait eu pour objet votre convalescence.

ELMIRE

Votre zèle pour moi s'est trop inquiété.

TARTUFFE

On ne peut trop chérir votre chère santé,
Et pour la rétablir j'aurais donné la mienne.

ELMIRE

C'est pousser bien avant la charité chrétienne,
Et je vous dois beaucoup pour toutes ces bontés.

TARTUFFE

Je fais bien moins pour vous que vous ne méritez.

ELMIRE

J'ai voulu vous parler en secret d'une affaire,
Et suis bien aise ici qu'aucun ne nous éclaire.

TARTUFFE

J'en suis ravi de même, et sans doute il m'est doux,
Madame, de me voir seul à seul avec vous :

1. Instance : pressante prière.

C'est une occasion qu'au Ciel j'ai demandée,
Sans que jusqu'à cette heure il me l'ait accordée.

ELMIRE

Pour moi, ce que je veux, c'est un mot d'entretien,
Où tout votre cœur s'ouvre, et ne me cache rien.

TARTUFFE

Et je ne veux aussi pour grâce singulière
Que montrer à vos yeux mon âme tout entière,
Et vous faire serment que les bruits[1] que j'ai faits
Des visites qu'ici reçoivent vos attraits
Ne sont pas envers vous l'effet d'aucune haine,
Mais plutôt d'un transport de zèle qui m'entraîne,
Et d'un pur mouvement...

ELMIRE

Je le prends bien aussi,
Et crois que mon salut vous donne ce souci.

TARTUFFE, *il lui serre le bout des doigts*

Oui, Madame, sans doute, et ma ferveur est telle...

ELMIRE

Ouf! vous me serrez trop.

TARTUFFE

C'est par excès de zèle.
De vous faire aucun mal je n'eus jamais dessein,
Et j'aurais bien plutôt...

1. Bruits : critiques bruyantes.

Il lui met la main sur le genou.

ELMIRE

Que fait là votre main?

TARTUFFE

Je tâte votre habit : l'étoffe en est moelleuse.

ELMIRE

Ah! de grâce, laissez, je suis fort chatouilleuse.

Elle recule sa chaise, et Tartuffe rapproche la sienne.

TARTUFFE

Mon Dieu! que de ce point[1] l'ouvrage est merveilleux!
On travaille aujourd'hui d'un air miraculeux;
Jamais, en toute chose, on n'a vu si bien faire.

ELMIRE

Il est vrai. Mais parlons un peu de notre affaire.
On tient que mon mari veut dégager sa foi
Et vous donner sa fille. Est-il vrai, dites-moi?

TARTUFFE

Il m'en a dit deux mots; mais, Madame, à vrai dire,
Ce n'est pas le bonheur après quoi je soupire
Et je vois autre part les merveilleux attraits
De la félicité qui fait tous mes souhaits.

ELMIRE

C'est que vous n'aimez rien des choses de la terre.

1. Point : dentelle.

TARTUFFE

Mon sein n'enferme pas un cœur qui soit de pierre.

ELMIRE

Pour moi, je crois qu'au Ciel tendent tous vos soupirs,
Et que rien ici-bas n'arrête vos désirs.

TARTUFFE

L'amour qui nous attache aux beautés éternelles
N'étouffe pas en nous l'amour des temporelles;
Nos sens facilement peuvent être charmés
Des ouvrages parfaits que le Ciel a formés.
Ses attraits réfléchis brillent dans vos pareilles;
Mais il étale en vous ses plus rares merveilles.
Il a sur votre face épanché des beautés
Dont les yeux sont surpris, et les cœurs transportés,
Et je n'ai pu vous voir, parfaite créature,
Sans admirer en vous l'auteur de la nature,
Et d'une ardente amour sentir mon cœur atteint,
Au plus beau des portraits où lui-même il s'est peint.
D'abord j'appréhendai que cette ardeur secrète
Ne fût du noir esprit[1] une surprise adroite[2];
Et même à fuir vos yeux mon cœur se résolut,
Vous croyant un obstacle à faire mon salut.
Mais enfin je connus, ô beauté toute aimable,
Que cette passion peut n'être point coupable,
Que je puis l'ajuster avecque la pudeur,
Et c'est ce qui m'y fait abandonner mon cœur.
Ce m'est, je le confesse, une audace bien grande
Que d'oser de ce cœur vous adresser l'offrande;

1. Noir esprit : diable.
2. Adroite : se prononce «adroète», voir la rime.

Mais j'attends en mes vœux tout de votre bonté,
Et rien des vains efforts de mon infirmité[1];
En vous est mon espoir, mon bien, ma quiétude,
De vous dépend ma peine ou ma béatitude,
Et je vais être enfin, par votre seul arrêt,
Heureux, si vous voulez, malheureux, s'il vous plaît.

ELMIRE

La déclaration est tout à fait galante,
Mais elle est, à vrai dire, un peu bien surprenante,
Vous deviez, ce me semble, armer mieux votre sein[2],
Et raisonner un peu sur un pareil dessein.
Un dévot comme vous, et que partout on nomme…

TARTUFFE

Ah! pour être dévot, je n'en suis pas moins homme[3];
Et lorsqu'on vient à voir vos célestes appas,
Un cœur se laisse prendre, et ne raisonne pas.
Je sais qu'un tel discours de moi paraît étrange;
Mais, Madame, après tout, je ne suis pas un ange;
Et si vous condamnez l'aveu que je vous fais,
Vous devez vous en prendre à vos charmants attraits.
Dès que j'en vis briller la splendeur plus qu'humaine,
De mon intérieur[4] vous fûtes souveraine;
De vos regards divins l'ineffable douceur
Força la résistance où s'obstinait mon cœur;
Elle surmonta tout, jeûnes, prières, larmes,

1. Infirmité : faiblesse physique et morale.
2. Sein : cœur, siège des sentiments.
3. Ah! pour être dévot, je n'en suis pas moins homme : Molière s'inspire d'un célèbre vers d'une pièce de Corneille, *Sertorius* (1662), qu'il parodie : «Ah! pour être romain, je n'en suis pas moins homme» (acte IV, scène 1, vers 1194).
4. Intérieur : cœur, âme.

Et tourna tous mes vœux du côté de vos charmes.
Mes yeux et mes soupirs vous l'ont dit mille fois,
Et pour mieux m'expliquer j'emploie ici la voix.
Que si vous contemplez d'une âme un peu bénigne
Les tribulations de votre esclave indigne,
S'il faut que vos bontés veuillent me consoler
Et jusqu'à mon néant daignent se ravaler,
J'aurai toujours pour vous, ô suave merveille,
Une dévotion à nulle autre pareille.
Votre honneur avec moi ne court point de hasard,
Et n'a nulle disgrâce à craindre de ma part.
Tous ces galants de cour, dont les femmes sont folles,
Sont bruyants dans leurs faits et vains[1] dans leurs paroles,
De leurs progrès sans cesse on les voit se targuer;
Ils n'ont point de faveurs qu'ils n'aillent divulguer,
Et leur langue indiscrète, en qui l'on se confie,
Déshonore l'autel[2] où leur cœur sacrifie.
Mais les gens comme nous brûlent d'un feu discret,
Avec qui pour toujours on est sûr du secret :
Le soin que nous prenons de notre renommée
Répond de toute chose à la personne aimée,
Et c'est en nous qu'on trouve, acceptant notre cœur,
De l'amour sans scandale et du plaisir sans peur.

ELMIRE

Je vous écoute dire, et votre rhétorique
En termes assez forts à mon âme s'explique.
N'appréhendez-vous point que je ne sois d'humeur
À dire à mon mari cette galante ardeur,

1. Vains : vaniteux, orgueilleux.
2. Autel : (sens métaphorique) la femme aimée.

Et que le prompt avis d'un amour de la sorte
Ne pût bien altérer l'amitié qu'il vous porte?

TARTUFFE

Je sais que vous avez trop de bénignité,
Et que vous ferez grâce à ma témérité,
Que vous m'excuserez sur l'humaine faiblesse
Des violents transports d'un amour qui vous blesse,
Et considérerez, en regardant votre air,
Que l'on n'est pas aveugle, et qu'un homme est de chair.

ELMIRE

D'autres prendraient cela d'autre façon peut-être;
Mais ma discrétion se veut faire paraître.
Je ne redirai point l'affaire à mon époux;
Mais je veux en revanche une chose de vous :
C'est de presser tout franc et sans nulle chicane
L'union de Valère avecque Mariane,
De renoncer vous-même à l'injuste pouvoir[1]
Qui veut du bien d'un autre[2] enrichir votre espoir,
Et…

1. Injuste pouvoir : celui d'Orgon.
2 D'un autre : de Valère, le bien étant ici Mariane.

SCÈNE 4

DAMIS, ELMIRE, TARTUFFE

DAMIS, *sortant du petit cabinet où il s'était retiré*

Non, Madame, non : ceci doit se répandre.
J'étais en cet endroit, d'où j'ai pu tout entendre;
Et la bonté du Ciel m'y semble avoir conduit
Pour confondre[1] l'orgueil d'un traître qui me nuit,
Pour m'ouvrir une voie à prendre la vengeance
De son hypocrisie et de son insolence,
À détromper mon père, et lui mettre en plein jour
L'âme d'un scélérat qui vous parle d'amour.

ELMIRE

Non, Damis : il suffit qu'il se rende plus sage,
Et tâche à mériter la grâce où je m'engage.
Puisque je l'ai promis, ne m'en dédites pas.
Ce n'est point mon humeur de faire des éclats :
Une femme se rit de sottises pareilles,
Et jamais d'un mari n'en trouble les oreilles.

DAMIS

Vous avez vos raisons pour en user ainsi,
Et pour faire autrement j'ai les miennes aussi.
Le vouloir épargner est une raillerie;
Et l'insolent orgueil de sa cagoterie
N'a triomphé que trop de mon juste courroux,
Et que trop excité de désordre chez nous.

1. Confondre : démasquer, mettre au jour.

Le fourbe trop longtemps a gouverné mon père,
Et desservi mes feux avec ceux de Valère.
Il faut que du perfide il soit désabusé,
Et le Ciel pour cela m'offre un moyen aisé.
De cette occasion je lui suis redevable,
Et pour la négliger, elle est trop favorable :
Ce serait mériter qu'il me la vînt ravir
Que de l'avoir en main et ne m'en pas servir.

ELMIRE

Damis…

DAMIS

Non, s'il vous plaît, il faut que je me croie[1].
Mon âme est maintenant au comble de sa joie ;
Et vos discours en vain prétendent m'obliger
À quitter le plaisir de me pouvoir venger.
Sans aller plus avant, je vais vuider d'affaire[2] ;
Et voici justement de quoi me satisfaire.

SCÈNE 5

ORGON, DAMIS, TARTUFFE, ELMIRE

DAMIS

Nous allons régaler[3], mon père, votre abord
D'un incident tout frais qui vous surprendra fort.

1. Que je me croie : que j'agisse selon mon idée.
2. Vuider d'affaire : liquider l'affaire, la clore.
3. Régaler : faire plaisir, contenter (emploi ironique).

Vous êtes bien payé de toutes vos caresses,
Et monsieur d'un beau prix reconnaît vos tendresses.
Son grand zèle pour vous vient de se déclarer :
Il ne va pas à moins qu'à vous déshonorer;
Et je l'ai surpris là qui faisait à Madame
L'injurieux aveu d'une coupable flamme.
Elle est d'une humeur douce, et son cœur trop discret
Voulait à toute force en garder le secret;
Mais je ne puis flatter[1] une telle impudence.
Et crois que vous la taire est vous faire une offense.

ELMIRE

Oui, je tiens que jamais de tous ces vains propos
On ne doit d'un mari traverser[2] le repos,
Que ce n'est point de là que l'honneur peut dépendre,
Et qu'il suffit pour nous de savoir nous défendre :
Ce sont mes sentiments; et vous n'auriez rien dit,
Damis, si j'avais eu sur vous quelque crédit.

SCÈNE 6

ORGON, DAMIS, TARTUFFE

ORGON

Ce que je viens d'entendre, Ô Ciel! est-il croyable?

TARTUFFE

Oui, mon frère, je suis un méchant, un coupable,

1. Flatter : excuser.
2. Traverser : troubler.

Un malheureux pécheur, tout plein d'iniquité[1],
Le plus grand scélérat qui jamais ait été ;
Chaque instant de ma vie est chargé de souillures ;
Elle n'est qu'un amas de crimes et d'ordures
Et je vois que le Ciel, pour ma punition,
Me veut mortifier[2] en cette occasion.
De quelque grand forfait qu'on me puisse reprendre
Je n'ai garde d'avoir l'orgueil de m'en défendre.
Croyez ce qu'on vous dit, armez votre courroux,
Et comme un criminel chassez-moi de chez vous :
Je ne saurais avoir tant de honte en partage,
Que je n'en aie encor mérité davantage.

ORGON, *à son fils*

Ah ! traître, oses-tu bien par cette fausseté
Vouloir de sa vertu ternir la pureté ?

DAMIS

Quoi ? la feinte douceur de cette âme hypocrite
Vous fera démentir…

ORGON

Tais-toi, peste maudite.

TARTUFFE

Ah ! laissez-le parler : vous l'accusez à tort,
Et vous ferez bien mieux de croire à son rapport.
Pourquoi sur un tel fait m'être si favorable ?
Savez-vous, après tout, de quoi je suis capable ?
Vous fiez-vous, mon frère, à mon extérieur ?

1. Iniquité : vices, péchés, corruption (terme religieux).
2. Mortifier : faire subir une épreuve (sens religieux).

Et, pour tout ce qu'on voit, me croyez-vous meilleur?
Non, non : vous vous laissez tromper à l'apparence,
Et je ne suis rien moins, hélas! que ce qu'on pense;
Tout le monde me prend pour un homme de bien;
Mais la vérité pure est que je ne vaux rien.

S'adressant à Damis.

Oui, mon cher fils, parlez; traitez-moi de perfide,
D'infâme, de perdu, de voleur, d'homicide[1];
Accablez-moi de noms encor plus détestés :
Je n'y contredis point, je les ai mérités
Et j'en veux à genoux souffrir l'ignominie,
Comme une honte due aux crimes de ma vie.

ORGON, *à Tartuffe*

Mon frère, c'en est trop.

À son fils.

Ton cœur ne se rend point,
Traître?

DAMIS

Quoi? ses discours vous séduiront au point...

ORGON

Tais-toi, pendard.

À Tartuffe.

Mon frère, eh! levez-vous, de grâce!

À son fils.

1. Homicide : criminel.

Infâme !

DAMIS

Il peut…

ORGON

Tais-toi.

DAMIS

J'enrage ! Quoi ? je passe…

ORGON

Si tu dis un seul mot, je te romprai les bras.

TARTUFFE

Mon frère, au nom de Dieu, ne vous emportez pas.
J'aimerais mieux souffrir la peine la plus dure,
Qu'il eût reçu pour moi la moindre égratignure.

ORGON, *à son fils*

Ingrat !

TARTUFFE

Laissez-le en paix[1]. S'il faut, à deux genoux,
Vous demander sa grâce…

ORGON, *à Tartuffe*

Hélas ! vous moquez-vous ?

À son fils.

1. Laissez-le en paix : prononcer « Laissez l'en paix ».

Coquin ! vois sa bonté.

DAMIS

Donc…

ORGON

Paix !

DAMIS

Quoi ? je…

ORGON

Paix ! dis-je.

Je sais bien quel motif à l'attaquer t'oblige :
Vous le haïssez tous ; et je vois aujourd'hui
Femme, enfants et valets déchaînés contre lui ;
On met impudemment toute chose en usage,
Pour ôter de chez moi ce dévot personnage.
Mais plus on fait d'effort afin de l'en bannir,
Plus j'en veux employer à l'y mieux retenir ;
Et je vais me hâter de lui donner ma fille,
Pour confondre l'orgueil de toute ma famille…

DAMIS

À recevoir sa main on pense l'obliger ?

ORGON

Oui, traître, et dès ce soir, pour vous faire enrager.
Ah ! je vous brave tous, et vous ferai connaître
Qu'il faut qu'on m'obéisse et que je suis le maître.
Allons, qu'on se rétracte, et qu'à l'instant, fripon,
On se jette à ses pieds pour demander pardon.

DAMIS

Qui, moi ? de ce coquin, qui, par ses impostures…

ORGON

Ah ! tu résistes, gueux, et lui dis des injures ?
Un bâton ! un bâton !

À Tartuffe.

Ne me retenez pas.

À son fils.

Sus, que de ma maison on sorte de ce pas,
Et que d'y revenir on n'ait jamais l'audace.

DAMIS

Oui, je sortirai ; mais…

ORGON

Vite, quittons la place.
Je te prive, pendard, de ma succession,
Et te donne de plus ma malédiction.

SCÈNE 7

ORGON, TARTUFFE

ORGON

Offenser de la sorte une sainte personne !

TARTUFFE

Ô Ciel ! pardonne-lui la douleur qu'il me donne !

À Orgon.

Si vous pouviez savoir avec quel déplaisir
Je vois qu'envers mon frère on tâche à me noircir…

ORGON

Hélas !

TARTUFFE

Le seul penser de cette ingratitude
Fait souffrir à mon âme un supplice si rude…
L'horreur que j'en conçois… J'ai le cœur si serré,
Que je ne puis parler, et crois que j'en mourrai.

ORGON, *il court tout en larmes à la porte par où il a chassé son fils*

Coquin ! je me repens que ma main t'ait fait grâce,
Et ne t'ait pas d'abord assommé sur la place.
Remettez-vous, mon frère, et ne vous fâchez pas.

TARTUFFE

Rompons, rompons le cours de ces fâcheux débats.
Je regarde céans quels grands troubles j'apporte,
Et crois qu'il est besoin, mon frère, que j'en sorte.

ORGON

Comment ? vous moquez-vous ?

TARTUFFE

On m'y hait, et je vois

Qu'on cherche à vous donner des soupçons de ma foi.

ORGON

Qu'importe ? Voyez-vous que mon cœur les écoute ?

TARTUFFE

On ne manquera pas de poursuivre, sans doute ;
Et ces mêmes rapports qu'ici vous rejetez
Peut-être une autre fois seront-ils écoutés.

ORGON

Non, mon frère, jamais.

TARTUFFE

Ah ! mon frère, une femme
Aisément d'un mari peut bien surprendre l'âme[1].

ORGON

Non, non.

TARTUFFE

Laissez-moi vite, en m'éloignant d'ici,
Leur ôter tout sujet de m'attaquer ainsi.

ORGON

Non, vous demeurerez : il y va de ma vie.

TARTUFFE

Hé bien ! il faudra donc que je me mortifie.
Pourtant, si vous vouliez…

1. Surprendre l'âme : tromper.

ORGON

Ah!

TARTUFFE

Soit : n'en parlons plus.
Mais je sais comme il faut en user là-dessus.
L'honneur est délicat, et l'amitié m'engage
À prévenir les bruits et les sujets d'ombrage.
Je fuirai votre épouse, et vous ne me verrez…

ORGON

Non, en dépit de tous, vous la fréquenterez.
Faire enrager le monde est ma plus grande joie,
Et je veux qu'à toute heure avec elle on vous voie.
Ce n'est pas tout encor : pour les mieux braver tous,
Je ne veux point avoir d'autre héritier que vous,
Et je vais de ce pas, en fort bonne manière,
Vous faire de mon bien donation entière.
Un bon et franc ami, que pour gendre je prends,
M'est bien plus cher que fils, que femme, et que parents.
N'accepterez-vous pas ce que je vous propose ?

TARTUFFE

La volonté du Ciel soit faite en toute chose.

ORGON

Le pauvre homme ! Allons vite en dresser un écrit,
Et que puisse l'envie[1] en crever de dépit !

1. L'envie : les envieux.

ACTE IV

SCÈNE 1

CLÉANTE, TARTUFFE

CLÉANTE

Oui, tout le monde en parle, et vous m'en pouvez croire,
L'éclat[1] que fait ce bruit[2] n'est point à votre gloire;
Et je vous ai trouvé, Monsieur, fort à propos,
Pour vous en dire net ma pensée en deux mots.
Je n'examine point à fond ce qu'on expose;
Je passe là-dessus, et prends au pis la chose.
Supposons que Damis n'en ait pas bien usé,
Et que ce soit à tort qu'on vous ait accusé :
N'est-il pas d'un chrétien de pardonner l'offense,
Et d'éteindre en son cœur tout désir de vengeance?
Et devez-vous souffrir, pour[3] votre démêlé,
Que du logis d'un père un fils soit exilé?
Je vous le dis encore, et parle avec franchise,

1. Éclat : scandale.
2. Bruit : la nouvelle de l'exil de Damis.
3. Pour : à cause de.

Il n'est petit ni grand qui ne s'en scandalise;
Et si vous m'en croyez, vous pacifierez tout,
Et ne pousserez point les affaires à bout.
Sacrifiez à Dieu toute votre colère,
Et remettez le fils en grâce avec le père.

TARTUFFE

Hélas! je le voudrais, quant à moi, de bon cœur :
Je ne garde pour lui, Monsieur, aucune aigreur;
Je lui pardonne tout, de rien je ne le blâme,
Et voudrais le servir du meilleur de mon âme;
Mais l'intérêt du Ciel n'y saurait consentir,
Et s'il rentre céans, c'est à moi d'en sortir.
Après son action, qui n'eut jamais d'égale,
Le commerce entre nous porterait du scandale :
Dieu sait ce que d'abord tout le monde en croirait!
À pure politique on me l'imputerait;
Et l'on dirait partout que, me sentant coupable,
Je feins pour qui m'accuse un zèle charitable,
Que mon cœur l'appréhende et veut le ménager,
Pour le pouvoir sous main au silence engager.

CLÉANTE

Vous nous payez ici d'excuses colorées[1].
Et toutes vos raisons, Monsieur, sont trop tirées[2].
Des intérêts du Ciel pourquoi vous chargez-vous?
Pour punir le coupable a-t-il besoin de nous?
Laissez-lui, laissez-lui le soin de ses vengeances;
Ne songez qu'au pardon qu'il prescrit des offenses;
Et ne regardez point aux jugements humains,

1. Colorées : destinées à tromper, fausses.
2. Tirées : forcées; on dirait aujourd'hui «tirées par les cheveux».

Quand vous suivez du Ciel les ordres souverains.
Quoi ? le faible intérêt de ce qu'on pourra croire
D'une bonne action empêchera la gloire ?
Non, non : faisons toujours ce que le Ciel prescrit,
Et d'aucun autre soin ne nous brouillons l'esprit.

TARTUFFE

Je vous ai déjà dit que mon cœur lui pardonne,
Et c'est faire, Monsieur, ce que le Ciel ordonne
Mais après le scandale et l'affront d'aujourd'hui,
Le Ciel n'ordonne pas que je vive avec lui.

CLÉANTE

Et vous ordonne-t-il, Monsieur, d'ouvrir l'oreille
À ce qu'un pur caprice à son père conseille,
Et d'accepter le don qui vous est fait d'un bien
Où le droit vous oblige à ne prétendre rien ?

TARTUFFE

Ceux qui me connaîtront n'auront pas la pensée
Que ce soit un effet d'une âme intéressée.
Tous les biens de ce monde ont pour moi peu d'appas,
De leur éclat trompeur je ne m'éblouis pas ;
Et si je me résous à recevoir du père
Cette donation qu'il a voulu me faire,
Ce n'est, à dire vrai, que parce que je crains
Que tout ce bien ne tombe en de méchantes mains,
Qu'il ne trouve des gens qui, l'ayant en partage,
En fassent dans le monde un criminel usage,
Et ne s'en servent pas, ainsi que j'ai dessein,
Pour la gloire du Ciel et le bien du prochain.

CLÉANTE

Hé, Monsieur, n'ayez point ces délicates[1] craintes,
Qui d'un juste héritier peuvent causer les plaintes;
Souffrez, sans vous vouloir embarrasser de rien,
Qu'il soit à ses périls possesseur de son bien;
Et songez qu'il vaut mieux encor qu'il en mésuse,
Que si[2] de l'en frustrer il faut qu'on vous accuse.
J'admire[3] seulement que sans confusion
Vous en ayez souffert la proposition;
Car enfin le vrai zèle a-t-il quelque maxime
Qui montre à dépouiller l'héritier légitime?
Et s'il faut que le Ciel dans votre cœur ait mis
Un invincible obstacle à vivre avec Damis,
Ne vaudrait-il pas mieux qu'en personne discrète
Vous fissiez de céans une honnête retraite,
Que de souffrir ainsi, contre toute raison,
Qu'on en chasse pour vous le fils de la maison?
Croyez-moi, c'est donner de votre prud'homie[4],
Monsieur…

TARTUFFE

Il est, Monsieur, trois heures et demie[5] :
Certain devoir pieux me demande là-haut,
Et vous m'excuserez de vous quitter sitôt.

CLÉANTE

Ah!

1. Délicates : excessives; Cléante l'emploie dans un sens ironique ici.
2. Que si : plutôt que.
3. Admire : m'étonne.
4. Prud'homie : honnêteté, probité, sagesse.
5. Trois heures et demie : c'est l'heure des Vêpres.

SCÈNE 2

ELMIRE, MARIANE, DORINE, CLÉANTE

DORINE

De grâce, avec nous employez-vous pour elle,
Monsieur : son âme souffre une douleur mortelle ;
Et l'accord que son père a conclu pour ce soir
La fait, à tous moments, entrer en désespoir.
Il va venir. Joignons nos efforts, je vous prie,
Et tâchons d'ébranler, de force ou d'industrie[1],
Ce malheureux dessein qui nous a tous troublés.

SCÈNE 3

ORGON, ELMIRE, MARIANE, CLÉANTE, DORINE

ORGON

Ha ! je me réjouis de vous voir assemblés :
Je porte en ce contrat de quoi vous faire rire,
Et vous savez déjà ce que cela veut dire.

MARIANE, *à genoux*

Mon père, au nom du Ciel, qui connaît ma douleur,
Et par tout ce qui peut émouvoir votre cœur,
Relâchez-vous un peu des droits de la naissance,

1. De force ou d'industrie : par la force ou la ruse.

Et dispensez mes vœux de cette obéissance;
Ne me réduisez point par cette dure loi
Jusqu'à me plaindre au Ciel de ce que je vous doi,
Et cette vie, hélas ! que vous m'avez donnée,
Ne me la rendez pas, mon père, infortunée.
Si, contre un doux espoir que j'avais pu former,
Vous me défendez d'être à ce[1] que j'ose aimer,
Au moins, par vos bontés, qu'à vos genoux j'implore,
Sauvez-moi du tourment d'être à ce que j'abhorre,
Et ne me portez point à quelque désespoir,
En vous servant sur moi de tout votre pouvoir.

ORGON, *se sentant attendrir*

Allons, ferme, mon cœur, point de faiblesse humaine.

MARIANE

Vos tendresses pour lui ne me font point de peine
Faites-les éclater, donnez-lui votre bien,
Et, si ce n'est assez, joignez-y tout le mien :
J'y consens de bon cœur, et je vous l'abandonne;
Mais au moins n'allez pas jusques à ma personne,
Et souffrez qu'un couvent dans les austérités
Use les tristes jours que le Ciel m'a comptés.

ORGON

Ah ! voilà justement de mes religieuses,
Lorsqu'un père combat leurs flammes amoureuses !
Debout ! Plus votre cœur répugne à l'accepter,
Plus ce sera pour vous matière à mériter :
Mortifiez vos sens avec ce mariage,
Et ne me rompez pas la tête davantage.

1. Ce : celui (Valère).

DORINE

Mais quoi... ?

ORGON

Taisez-vous, vous ; parlez à votre écot[1] :
Je vous défends tout net d'oser dire un seul mot.

CLÉANTE

Si par quelque conseil vous souffrez qu'on réponde...

ORGON

Mon frère, vos conseils sont les meilleurs du monde,
Ils sont bien raisonnés, et j'en fais un grand cas ;
Mais vous trouverez bon que je n'en use pas.

ELMIRE, *à son mari*

À voir ce que je vois, je ne sais plus que dire,
Et votre aveuglement fait que je vous admire :
C'est être bien coiffé, bien prévenu, de lui[2],
Que de nous démentir sur le fait d'aujourd'hui.

ORGON

Je suis votre valet, et crois les apparences :
Pour mon fripon de fils je sais vos complaisances
Et vous avez eu peur de le désavouer
Du trait[3] qu'à ce pauvre homme il a voulu jouer ;
Vous étiez trop tranquille enfin pour être crue,
Et vous auriez paru d'autre manière émue.

1. Écot : compagnie. L'expression a le sens ici de « Mêlez-vous de vos affaires ».
2. Bien prévenu, de lui : avoir bien des préjugés en sa faveur.
3. Trait : mauvais tour.

ELMIRE

Est-ce qu'au simple aveu d'un amoureux transport
Il faut que notre honneur se gendarme si fort?
Et ne peut-on répondre à tout ce qui le touche
Que le feu dans les yeux et l'injure à la bouche?
Pour moi, de tels propos je me ris simplement,
Et l'éclat là-dessus ne me plaît nullement;
J'aime qu'avec douceur nous nous montrions sages,
Et ne suis point du tout pour ces prudes sauvages
Dont l'honneur est armé de griffes et de dents,
Et veut au moindre mot dévisager[1] les gens :
Me préserve le Ciel d'une telle sagesse!
Je veux une vertu qui ne soit point diablesse,
Et crois que d'un refus la discrète froideur
N'en est pas moins puissante à rebuter un cœur.

ORGON

Enfin je sais l'affaire et ne prends point le change[2].

ELMIRE

J'admire, encore un coup, cette faiblesse étrange,
Mais que me répondrait votre incrédulité
Si je vous faisais voir qu'on vous dit vérité?

ORGON

Voir?

ELMIRE

Oui.

1. Dévisager : défigurer.
2. Ne prends point le change : (terme de chasse) ne me laisse pas entraîner sur une fausse piste (familièrement, on dirait : «ne tombe pas dans le panneau»).

ORGON

Chansons.

ELMIRE

Mais quoi ? Si je trouvais manière
De vous le faire voir avec pleine lumière ?

ORGON

Contes en l'air.

ELMIRE

Quel homme ! Au moins répondez-moi.
Je ne vous parle pas de nous ajouter foi ;
Mais supposons ici que, d'un lieu qu'on peut prendre,
On vous fît clairement tout voir et tout entendre,
Que diriez-vous alors de votre homme de bien ?

ORGON

En ce cas, je dirais que... Je ne dirais rien,
Car cela ne se peut.

ELMIRE

L'erreur trop longtemps dure,
Et c'est trop condamner ma bouche d'imposture
Il faut que par plaisir, et sans aller plus loin,
De tout ce qu'on vous dit je vous fasse témoin.

ORGON

Soit : je vous prends au mot. Nous verrons votre adresse,
Et comment vous pourrez remplir cette promesse.

ELMIRE

Faites-le-moi venir.

DORINE

Son esprit est rusé,
Et peut-être à surprendre il sera malaisé.

ELMIRE

Non : on est aisément dupé par ce qu'on aime.
Et l'amour-propre engage à se tromper soi-même.
Faites-le-moi descendre.

Parlant à Cléante et à Mariane.

Et vous, retirez-vous.

SCÈNE 4

ELMIRE, ORGON

ELMIRE

Approchons cette table, et vous mettez dessous.

ORGON

Comment ?

ELMIRE

Vous bien cacher est un point nécessaire.

ORGON

Pourquoi sous cette table ?

ELMIRE

Ah, mon Dieu ! laissez faire :
J'ai mon dessein en tête, et vous en jugerez.
Mettez-vous là, vous dis-je ; et quand vous y serez,
Gardez qu'on ne vous voie et qu'on ne vous entende.

ORGON

Je confesse qu'ici ma complaisance est grande ;
Mais de votre entreprise il vous faut voir sortir.

ELMIRE

Vous n'aurez, que je crois, rien à me repartir.

À son mari, qui est sous la table.

Au moins, je vais toucher une étrange matière :
Ne vous scandalisez en aucune manière.
Quoi que je puisse dire, il doit m'être permis,
Et c'est pour vous convaincre, ainsi que j'ai promis.
Je vais par des douceurs, puisque j'y suis réduite,
Faire poser le masque à cette âme hypocrite,
Flatter de son amour les désirs effrontés,
Et donner un champ libre à ses témérités.
Comme c'est pour vous seul, et pour mieux le confondre,
Que mon âme à ses vœux va feindre de répondre,
J'aurai lieu de cesser dès que vous vous rendrez[1],
Et les choses n'iront que jusqu'où vous voudrez.
C'est à vous d'arrêter son ardeur insensée,
Quand vous croirez l'affaire assez avant poussée,
D'épargner votre femme, et de ne m'exposer
Qu'à ce qu'il vous faudra pour vous désabuser :

1. Vous vous rendrez : vous serez convaincu, vous reconnaîtrez votre erreur.

Ce sont vos intérêts ; vous en serez le maître,
Et... L'on vient. Tenez-vous, et gardez de paraître.

SCÈNE 5

TARTUFFE, ELMIRE, ORGON

TARTUFFE

On m'a dit qu'en ce lieu vous me vouliez parler.

ELMIRE

Oui. L'on a des secrets à vous y révéler.
Mais tirez cette porte avant qu'on vous les dise,
Et regardez partout, de crainte de surprise.
Une affaire pareille à celle de tantôt
N'est pas assurément ici ce qu'il nous faut.
Jamais il ne s'est vu de surprise de même ;
Damis m'a fait pour vous une frayeur extrême,
Et vous avez bien vu que j'ai fait mes efforts
Pour rompre son dessein et calmer ses transports.
Mon trouble, il est bien vrai, m'a si fort possédée,
Que de le démentir je n'ai point eu l'idée ;
Mais par là, grâce au Ciel, tout a bien mieux été,
Et les choses en sont dans plus de sûreté.
L'estime où l'on vous tient a dissipé l'orage,
Et mon mari de vous ne peut prendre d'ombrage.
Pour mieux braver l'éclat des mauvais jugements,
Il veut que nous soyons ensemble à tous moments ;
Et c'est par où je puis, sans peur d'être blâmée,
Me trouver ici seule avec vous enfermée,

Et ce qui m'autorise à vous ouvrir un cœur
Un peu trop prompt peut-être à souffrir votre ardeur.

TARTUFFE

Ce langage à comprendre est assez difficile,
Madame, et vous parliez tantôt d'un autre style.

ELMIRE

Ah! si d'un tel refus vous êtes en courroux,
Que le cœur d'une femme est mal connu de vous!
Et que vous savez peu ce qu'il veut faire entendre
Lorsque si faiblement on le voit se défendre!
Toujours notre pudeur combat dans ces moments
Ce qu'on peut nous donner de tendres sentiments.
Quelque raison qu'on trouve à l'amour qui nous dompte,
On trouve à l'avouer toujours un peu de honte;
On s'en défend d'abord; mais de l'air qu'on s'y prend
On fait connaître assez que notre cœur se rend,
Qu'à nos vœux par honneur notre bouche s'oppose,
Et que de tels refus promettent toute chose.
C'est vous faire sans doute un assez libre aveu,
Et sur notre pudeur me ménager bien peu;
Mais puisque la parole enfin en est lâchée,
À retenir Damis me serais-je attachée,
Aurais-je, je vous prie, avec tant de douceur
Écouté tout au long l'offre de votre cœur,
Aurais-je pris la chose ainsi qu'on m'a vu faire,
Si l'offre de ce cœur n'eût eu de quoi me plaire?
Et lorsque j'ai voulu moi-même vous forcer
À refuser l'hymen qu'on venait d'annoncer,
Qu'est-ce que cette instance a dû vous faire entendre,

Que[1] l'intérêt qu'en vous on s'avise de prendre,
Et l'ennui qu'on aurait que ce nœud qu'on résout[2]
Vînt partager du moins un cœur que l'on veut tout?

TARTUFFE

C'est sans doute, Madame, une douceur extrême
Que d'entendre ces mots d'une bouche qu'on aime .
Leur miel dans tous mes sens fait couler à longs traits
Une suavité[3] qu'on ne goûta jamais.
Le bonheur de vous plaire est ma suprême étude,
Et mon cœur de vos vœux fait sa béatitude;
Mais ce cœur vous demande ici la liberté
D'oser douter un peu de sa félicité.
Je puis croire ces mots un artifice honnête
Pour m'obliger à rompre un hymen qui s'apprête;
Et s'il faut librement m'expliquer avec vous,
Je ne me fierai point à des propos si doux,
Qu'[4] un peu de vos faveurs, après quoi je soupire,
Ne vienne m'assurer tout ce qu'ils m'ont pu dire,
Et planter dans mon âme une constante foi[5]
Des charmantes bontés que vous avez pour moi.

ELMIRE, *elle tousse pour avertir son mari*

Quoi? vous voulez aller avec cette vitesse,
Et d'un cœur tout d'abord épuiser la tendresse?
On se tue à vous faire un aveu des plus doux;
Cependant ce n'est pas encore assez pour vous,
Et l'on ne peut aller jusqu'à vous satisfaire,
Qu'aux dernières faveurs on ne pousse l'affaire?

1. Que : si ce n'est.
2. Ce nœud qu'on résout : ce mariage (entre Tartuffe et Mariane) qu'on décide.
3. Suavité : douceur.
4. Qu' : sans qu'.
5. Foi : confiance, certitude.

TARTUFFE

Moins on mérite un bien, moins on l'ose espérer.
Nos vœux sur des discours ont peine à s'assurer.
On soupçonne aisément un sort tout plein de gloire,
Et l'on veut en jouir avant que de le croire.
Pour moi, qui crois si peu mériter vos bontés,
Je doute du bonheur de mes témérités;
Et je ne croirai rien, que vous n'ayez, Madame,
Par des réalités su convaincre ma flamme.

ELMIRE

Mon Dieu, que votre amour en vrai tyran agit,
Et qu'en un trouble étrange il me jette l'esprit!
Que sur les cœurs il prend un furieux empire.
Et qu'avec violence il veut ce qu'il désire!
Quoi? de votre poursuite on ne peut se parer,
Et vous ne donnez pas le temps de respirer?
Sied-il bien de tenir une rigueur si grande,
De vouloir sans quartier[1] les choses qu'on demande,
Et d'abuser ainsi par vos efforts pressants
Du faible que pour vous vous voyez qu'ont les gens?

TARTUFFE

Mais si d'un œil bénin[2] vous voyez mes hommages,
Pourquoi m'en refuser d'assurés témoignages?

ELMIRE

Mais comment consentir à ce que vous voulez,
Sans offenser le Ciel, dont toujours vous parlez?

1. Sans quartier : sans concession ni pitié (voir l'expression «pas de quartier!»).
2. Bénin : bienveillant.

TARTUFFE

Si ce n'est que le Ciel qu'à mes vœux on oppose,
Lever un tel obstacle est à moi peu de chose,
Et cela ne doit pas retenir votre cœur.

ELMIRE

Mais des arrêts du Ciel on nous fait tant de peur !

TARTUFFE

Je puis vous dissiper ces craintes ridicules,
Madame, et je sais l'art de lever les scrupules.
Le Ciel défend, de vrai, certains contentements ;
(C'est un scélérat qui parle.)
Mais on trouve avec lui des accommodements ;
Selon divers besoins, il est une science[1]
D'étendre les liens[2] de notre conscience
Et de rectifier le mal de l'action
Avec la pureté de notre intention.
De ces secrets, Madame, on saura vous instruire ;
Vous n'avez seulement qu'à vous laisser conduire[3].
Contentez mon désir, et n'ayez point d'effroi :
Je vous réponds de tout, et prends le mal sur moi.
Vous toussez fort, Madame.

ELMIRE

Oui, je suis au supplice.

1. Science : il s'agit de la casuistique.
2. Étendre les liens : relâcher la rigueur.
3. Conduire : instruire.

TARTUFFE

Vous plaît-il un morceau de ce jus de réglisse ?

ELMIRE

C'est un rhume obstiné, sans doute ; et je vois bien
Que tous les jus du monde ici ne feront rien.

TARTUFFE

Cela certes est fâcheux.

ELMIRE

Oui, plus qu'on ne peut dire.

TARTUFFE

Enfin votre scrupule est facile à détruire :
Vous êtes assurée ici d'un plein secret,
Et le mal n'est jamais que dans l'éclat qu'on fait ;
Le scandale du monde est ce qui fait l'offense,
Et ce n'est pas pécher que pécher en silence.

ELMIRE, *après avoir encore toussé*

Enfin je vois qu'il faut se résoudre à céder,
Qu'il faut que je consente à vous tout accorder,
Et qu'à moins de cela je ne dois point prétendre
Qu'on puisse être content, et qu'on veuille se rendre[1].
Sans doute il est fâcheux d'en venir jusque-là,
Et c'est bien malgré moi que je franchis cela ;
Mais puisque l'on s'obstine à m'y vouloir réduire,
Puisqu'on ne veut point croire à tout ce qu'on peut dire,
Et qu'on veut des témoins qui soient plus convaincants,

1. Se rendre : s'estimer satisfait.

Il faut bien s'y résoudre, et contenter les gens.
Si ce consentement porte en soi quelque offense,
Tant pis pour qui me force à cette violence;
La faute assurément n'en doit pas être à moi.

TARTUFFE

Oui, Madame, on s'en charge, et la chose de soi…

ELMIRE

Ouvrez un peu la porte, et voyez, je vous prie,
Si mon mari n'est point dans cette galerie.

TARTUFFE

Qu'est-il besoin pour lui du soin que vous prenez?
C'est un homme, entre nous, à mener par le nez;
De tous nos entretiens il est pour faire gloire[1],
Et je l'ai mis au point de voir tout sans rien croire.

ELMIRE

Il n'importe : sortez, je vous prie, un moment,
Et partout là dehors voyez exactement.

SCÈNE 6

ORGON, ELMIRE

ORGON, *sortant de dessous la table*

Voilà, je vous l'avoue, un abominable homme!
Je n'en puis revenir, et tout ceci m'assomme.

1. Pour faire gloire : capable d'en tirer gloire, de s'en vanter.

ELMIRE

Quoi ? vous sortez sitôt ? vous vous moquez des gens.
Rentrez sous le tapis, il n'est pas encor temps ;
Attendez jusqu'au bout pour voir les choses sûres,
Et ne vous fiez point aux simples conjectures.

ORGON

Non, rien de plus méchant n'est sorti de l'enfer.

ELMIRE

Mon Dieu ! l'on ne doit point croire trop de léger[1].
Laissez-vous bien convaincre avant que de vous rendre,
Et ne vous hâtez point, de peur de vous méprendre.

Elle fait mettre son mari derrière elle.

SCÈNE 7

TARTUFFE, ELMIRE, ORGON

TARTUFFE

Tout conspire, Madame, à mon contentement :
J'ai visité de l'œil tout cet appartement ;
Personne ne s'y trouve ; et mon âme ravie...

ORGON, *en l'arrêtant*

Tout doux ! vous suivez trop votre amoureuse envie,
Et vous ne devez pas vous tant passionner[2].

1. Trop de léger : trop facilement, à la légère.
2. Vous passionner : vous abandonner à la passion.

Ah ! ah ! l'homme de bien, vous m'en voulez donner[1] !
Comme aux tentations s'abandonne votre âme !
Vous épousiez ma fille, et convoitiez ma femme !
J'ai douté fort longtemps que ce fût tout de bon,
Et je croyais toujours qu'on changerait de ton ;
Mais c'est assez avant pousser le témoignage :
Je m'y tiens, et n'en veux, pour moi, pas davantage.

ELMIRE, *à Tartuffe*

C'est contre mon humeur que j'ai fait tout ceci ;
Mais on m'a mise au point de vous traiter ainsi.

TARTUFFE

Quoi ? vous croyez ?...

ORGON

Allons, point de bruit, je vous prie.
Dénichons de céans, et sans cérémonie.

TARTUFFE

Mon dessein...

ORGON

Ces discours ne sont plus de saison :
Il faut, tout sur-le-champ, sortir de la maison.

TARTUFFE

C'est à vous d'en sortir, vous qui parlez en maître :
La maison m'appartient, je le ferai connaître,
Et vous montrerai bien qu'en vain on a recours,

1. M'en donner : me tromper.

Pour me chercher querelle, à ces lâches détours,
Qu'on n'est pas où l'on pense[1] en me faisant injure,
Que j'ai de quoi confondre et punir l'imposture,
Venger le Ciel qu'on blesse, et faire repentir
Ceux qui parlent ici de me faire sortir.

SCÈNE 8

ELMIRE, ORGON

ELMIRE

Quel est donc ce langage ? et qu'est-ce qu'il veut dire ?

ORGON

Ma foi, je suis confus, et n'ai pas lieu de rire.

ELMIRE

Comment ?

ORGON

Je vois ma faute aux choses qu'il me dit,
Et la donation m'embarrasse l'esprit.

ELMIRE

La donation…

ORGON

Oui, c'est une affaire faite.
Mais j'ai quelque autre chose encor qui m'inquiète.

1. Où l'on pense : dans la position de force dans laquelle on croit être.

ELMIRE

Et quoi ?

ORGON

Vous saurez tout. Mais voyons au plus tôt
Si certaine cassette est encore là-haut.

Arrêt sur lecture 4

La joie dans laquelle s'achève le deuxième acte est de courte durée. L'arrivée impromptue de Damis et la fureur qu'il laisse éclater au début du troisième acte ne laissent rien présager de bon. Son entrée, au contraire, parce qu'elle brise l'allégresse dans laquelle le deuxième acte avait plongé le spectateur et le lecteur, doit se comprendre comme le signe avant-coureur des multiples bouleversements qui vont survenir dans les troisième et quatrième actes.

Mais surtout, Tartuffe entre en scène…

La levée du masque

L'acte III apparaît bien comme le contrepoint de l'acte II : loin de se clore comme lui dans la joie, il s'achève dans la crainte. Le troisième acte constitue l'acte pivot d'une pièce en cinq actes, et l'acte III du *Tartuffe* n'échappe guère à la règle. Il est celui dans lequel le nœud se resserre et la tension dramatique croît considérablement.

Enfin Tartuffe !

Tartuffe paraît enfin... Son entrée en scène si longtemps différée a lieu à la scène 2 de l'acte III. Ce retard dans l'apparition de Tartuffe est tout à fait extraordinaire, au sens fort du terme (extra-ordinaire : ce qui sort de l'ordinaire, de l'usage commun). L'usage théâtral exigeait en effet que le personnage principal (éponyme ou non) apparût après l'acte d'exposition*, au cours de l'acte II. L'apparition de Tartuffe est donc plus tardive que ne l'ordonnent (ou ne le souhaitent) les conventions. Les raisons d'un tel retard sont connues : Molière, ainsi qu'il le précise dans sa préface, veut « préparer » l'arrivée de Tartuffe et éviter ainsi toute méprise sur le sens de ses propos et sur son attitude. On peut également saisir les effets d'un tel retard sur le spectateur : une ardente curiosité et une intolérable impatience. Molière a réitéré ce coup de force quelques années plus tard, dans *Les Femmes savantes* : Trissotin, à l'instar de Tartuffe, entre en scène à l'acte III. Certes, Trissotin n'est guère le principal protagoniste de l'intrigue* ; néanmoins, comme Tartuffe, il est un parasite et un imposteur.

Un personnage en représentation – Penchons-nous tout d'abord sur la didascalie* qui accompagne la première réplique de Tartuffe : « *apercevant Dorine* ». Elle signale avec force au lecteur que Tartuffe est un acteur qui joue un rôle particulier lorsqu'il se trouve face à un public, ici Dorine (la mise en scène et la direction de l'acteur incarnant Tartuffe doivent toutes deux rendre compte de cette information précieuse). Dans cette première réplique, Tartuffe, en mobilisant le vocabulaire pieux, cherche à incarner un certain comportement dévot : la flagellation – vers 853 –, la prière – vers 854 –, le devoir de charité – vers 855-856.

Une dévotion empreinte d'une singulière sensualité – Il faut concevoir cette première apparition de Tartuffe comme le moment où nous est présenté un condensé exhaustif de tout le personnage : la simulation avec le vocabulaire et le comportement dévots, l'excès

Tartuffe dans la mise en scène de Benno Besson au théâtre de l'Odéon (1995). Reportez-vous à la gravure de la page 45 et comparez les deux représentations de l'hypocrite.

dans cette simulation avec la pudibonderie excessive dont il fait preuve à l'égard de Dorine dans la désormais célèbre réplique dite « du mouchoir », enfin l'attirance qu'il ressent pour Elmire et qui le pousse à sacrifier, sans scrupule ni hésitation, son devoir d'aumônes. Ces deux derniers points sont également des indices de la sensualité du personnage, dont la scène suivante nous fournira des témoignages incontestables. Aussi, ces quelques répliques doivent s'entendre comme une allusion assez manifeste et assez flagrante pour les spectateurs contemporains de Molière à la Compagnie du Saint-Sacrement : ce sont ses membres en effet qui se faisaient alors un devoir d'aller visiter les détenus et qui condamnaient vigoureusement l'immodestie des toilettes féminines.

Pour éviter toute équivoque autour du personnage de Tartuffe, Molière a choisi de mettre Dorine en présence de Tartuffe pour accompagner sa première apparition sur la scène. Le premier personnage que rencontre Tartuffe sur la scène est donc un des membres du clan des « anti-Tartuffe », autrement dit un personnage qui n'est absolument pas abusé ou dupé par l'hypocrite et qui, au contraire, a ici pour fonction d'en souligner et d'en dénoncer l'imposture (« Que d'affectation et de forfanterie ! »). Plus encore, dans ce bref dialogue, la franche et vigoureuse suivante parvient à lever le masque de Tartuffe (vers 875) ainsi qu'à en saisir la faiblesse (notez l'empressement de Tartuffe à rencontrer Elmire au vers 877). Le contraste se révèle alors saisissant entre l'hypocrite et la suivante pleine de bon sens. Par ailleurs, cette première apparition de Tartuffe est le prétexte à une grande scène comique.

Une scène de séduction

Ce sont surtout les scènes suivantes qui vont achever de dévoiler la turpitude de Tartuffe, au premier rang desquelles la scène magistrale qui réunit Tartuffe et Elmire. Cette rencontre, dont Elmire a l'initiative (vers 873-874), vise à persuader Tartuffe de renoncer au projet de mariage avec Mariane qu'a conçu Orgon. Cette entrevue a donc pour objet de lever le **premier péril** de l'intrigue*. Or, loin de parvenir au résultat escompté, cette entrevue échoue et provoque un **deuxième péril** : la vertu d'Elmire, convoitée et menacée par Tartuffe.

Structure de la scène – Il est possible de diviser cette scène en quatre mouvements.

Le premier mouvement s'achève au vers 895 : Tartuffe, très normalement, prend des nouvelles de la santé d'Elmire (vous vous rappelez que Dorine a évoqué son malaise à la scène 4 du premier acte). Ce qui devient anormal, en revanche, c'est la sollicitude excessive dont il fait preuve lorsqu'il s'enquiert de son état. Cette attitude permet à Tartuffe de se montrer fidèle à son image de dévot; elle provoque de surcroît immédiatement dans l'esprit du spectateur et du lecteur un écho et crée un parallèle inversé avec l'indélicate et inattendue indifférence qu'avait manifestée Orgon à l'égard de sa femme dans le premier acte.

La réplique de Tartuffe, au vers 896 (« Je fais bien moins pour vous que vous ne méritez »), recèle un sens ambigu et peut être entendue doublement : sous la sollicitude excessive de son propos se cache ici un discours aux allusions douteuses. Cette réplique amphibologique (c'est-à-dire ayant un sens double) fait basculer la scène dans le deuxième mouvement. Chacun des deux interlocuteurs cherche à orienter la discussion dans la direction qui l'intéresse : Elmire tente vainement d'aborder le mariage de Mariane, pendant que Tartuffe, de plus en plus audacieux, multiplie les avances... et joint le geste à la parole ! Ce discours à double entente (observez les vers 927 et 928) devient le symbole même de sa fourberie... et indique que le masque de Tartuffe est en train de tomber. Vous constaterez qu'Elmire, dans ce passage, fait preuve d'un sang-froid exemplaire, elle qui a compris la double portée des paroles de Tartuffe et qui devine déjà l'usage qu'elle en pourra faire ainsi que le bénéfice qu'elle pourra en tirer : elle feint donc de ne pas saisir les allusions de Tartuffe et de les interpréter naïvement (c'est-à-dire au premier degré) comme des manifestations de sa foi (vers 926 et 931-932). L'ambiguïté des propos de Tartuffe est doublée par l'ambiguïté (ici, la fausse ingénuité) des commentaires d'Elmire. Ce deuxième mouvement s'achève au vers 935.

Le dialogue précédent reposait sur une équivoque qui se dissipe dès que Tartuffe se décide à franchir un nouveau pas et à déclarer ouvertement et explicitement sa flamme dans deux longues tirades, où il mêle sans scrupule **rhétorique galante** et **vocabulaire mys-**

tique. Ces deux tirades forment le troisième mouvement de la scène et en constituent le point fort.

Le dernier mouvement de la scène s'ouvre au vers 1001. Elmire met fin à la déclaration de Tartuffe et déploie la stratégie que cette étonnante entrevue avec Tartuffe vient de lui offrir. Il s'agit d'un marché, ou plutôt d'un chantage : le silence d'Elmire (sur ce qui vient d'avoir lieu) contre le mariage de Mariane et de Valère. L'intervention intempestive de Damis empêche Tartuffe de répondre...

Pour une lecture

Revenons sur les deux tirades de Tartuffe (du vers 933 au vers 1000), autrement dit sur le troisième mouvement de la scène 3 de l'acte III.

Introduction

Tartuffe paraît enfin ! Le principal protagoniste de la pièce, dont la venue sur scène a été retardée et préparée pendant plus de deux actes, arrive. Alors que Tartuffe s'apprêtait à aller remplir quelque devoir de charité (visiter les détenus), Elmire l'invite à s'entretenir avec elle... ce qu'il accepte avec empressement.

Mais l'entretien prend une tournure inattendue : loin d'avoir pour sujet l'éventuel mariage entre Tartuffe et Mariane, il se transforme en véritable scène de séduction dont Tartuffe a l'initiative et qu'il justifie par deux longues tirades. Cette scène, capitale dans la pièce, est donc l'occasion de voir Tartuffe à la fois en actions et en paroles.

Après avoir examiné comment Tartuffe parvient à concilier amour terrestre et amour mystique, nous analyserons quelle argumentation il met en place pour légitimer son amour et inviter Elmire à le partager.

Développement : les axes de lecture

1 – Un imbroglio rhétorique

a – Le mélange des genres et des discours :

Cette déclaration se caractérise, en premier lieu, par un mélange des discours qui signale l'opposition entre les mondes spirituel et temporel que tente de réduire Tartuffe dans ses propos. Par l'imbrication du langage mystique et de la rhétorique galante, Tartuffe justifie sa passion amoureuse en l'accordant à sa dévotion*. Cette opposition apparaît de façon tout à fait symptomatique dès le début de la tirade, dans les deux premiers vers (vers 933-934). En effet, les deux termes à la rime sont « éternelles » et « temporelles » : ces deux termes révèlent bien tout l'enjeu de la déclaration amoureuse de Tartuffe ; les deux tirades ont pour dessein de concilier les deux sphères. Tartuffe utilise, par conséquent, constamment le langage religieux pour justifier sa passion charnelle. Il joue des deux registres et mélange sans scrupule le vocabulaire de la dévotion* et de l'amour charnel.

Le langage religieux chez Tartuffe est constamment mis au service de ses intérêts, et d'intérêts bassement matériels. Ici, la rhétorique religieuse est assujettie à des ambitions sensuelles.

b – La légitimation du désir charnel :

Par ailleurs, les propos de Tartuffe mêlent constamment une double référence : la référence philosophique et religieuse, d'une part ; la référence galante et précieuse, d'autre part. Tartuffe emprunte tout d'abord son argumentation à la philosophie platonicienne et à la tradition chrétienne.

La beauté terrestre, selon Platon, est le reflet d'une beauté supérieure, l'Essentielle Beauté : aimer la première, c'est – par analogie – aimer la seconde. La tradition chrétienne, quant à elle, rend possible l'amour des choses terrestres car cet amour devient une des façons de rendre hommage à celui qui en est le Créateur, Dieu : aimer les créatures terrestres revient, en fin de compte, à aimer Dieu.

Tartuffe convoque ensuite la rhétorique galante, celle des salons du XVIIe siècle, qui fait de la femme un être inaccessible et l'érige au rang de déesse. Par cet imbroglio rhétorique, par ce mélange et cette (con-)fusion de l'amour profane et de l'amour sacré, Tartuffe cherche à concilier son désir pour Elmire et ses exigences religieuses. Il vise surtout à le légitimer.

2 – De l'amour mystique à l'amour charnel

La déclaration amoureuse de Tartuffe (qu'une unique et brève réplique – un commentaire étonné et ironique d'Elmire – vient rompre) se déploie à l'intérieur de deux tirades successives qui participent du même mouvement. La première tirade de Tartuffe se décompose en trois temps. Elle débute par une **justification** (vers 933 à 944), se poursuit par une **objection** et une **réfutation** (vers 945 à 952) et s'achève par la **déclaration** proprement dite (vers 953-960).

La seconde tirade, quant à elle, dévoile les arguments que développe Tartuffe pour justifier l'amour qu'il porte à Elmire. Le faux dévot commence par insister sur sa dimension humaine et charnelle, notamment avec la célèbre réponse aux objections d'Elmire qui ouvre la seconde tirade au vers 966 : « Ah ! pour être dévot, je n'en suis pas moins homme » (vers 966 à 970). Puis, Tartuffe rend Elmire responsable de l'émoi qu'elle provoque sur lui – autrement dit, il se présente comme une victime ! (vers 971 à 974). Il évoque ensuite son impuissance et son incapacité à lutter contre la force d'un tel amour (vers 975 à 978). Enfin, il s'engage à lui vouer un amour éternel et « à nul autre pareil » (vers 979 à 986) avant de lui promettre la plus totale discrétion.

a – La première tirade, du général au particulier :

La déclaration amoureuse de Tartuffe tire sa singularité et sa force de l'emploi qui y est fait des pronoms personnels et qui participent fortement à l'efficacité argumentative. La tirade s'ouvre sur un mouvement qui va du général au particulier (vers 933 à 941) et qui provoque un effet de rétrécissement dont rend compte le jeu des pronoms personnels. Tartuffe commence par évoquer les beautés « temporelles » (vers 934), puis le genre féminin dans son ensemble (« vos pareilles », vers 937), enfin Elmire (« vous », vers 938). Il réitère l'opération pour lui-même, passant du « nous » (vers 933-934) au « je » (vers 941).

b – La seconde tirade, un mouvement inverse :

Il est possible d'opérer un constat similaire pour la seconde tirade en distinguant le mouvement inverse à la fin de cette tirade par le passage du particulier au général (vers 985 à 1 000), et l'effet d'élargissement que cela produit. Tartuffe revendique une humanité et une masculinité qui prennent le pas sur son statut de dévot. Sa déclaration, même si elle reste fortement empreinte de galanterie (ce qu'Elmire ne manque pas de lui faire remarquer), présente Tartuffe comme un homme différent, ce dont la fin de la tirade (vers 989-1 000) rend compte (Tartuffe n'a rien d'un « galant de cour »).

Le pronom personnel « nous » prend par exemple une valeur différente au début et à la fin de la déclaration amoureuse. Si le pronom personnel « nous » renvoie à la gent masculine dans son entier aux vers 933 à 935, il désigne en revanche à la fin de la tirade une catégorie particulière d'individus, les faux dévots et les hypocrites ; ce dont rend compte l'importance de l'expression « les gens comme nous » au vers 995.

c – La promesse du secret :

Quel est donc l'objectif du discours de Tartuffe ? Dans ces deux tirades, Tartuffe a une double intention : tout d'abord déclarer son désir à la femme d'Orgon, ensuite lever les scrupules et les objections qu'Elmire ne manquera pas de lui opposer et l'inviter ainsi à partager cette flamme. C'est pourquoi la seconde tirade s'achève sur la promesse du secret (vers 987 à 1 000; examinez d'ailleurs attentivement le vers 1 000). Elmire peut se livrer sans crainte, Tartuffe lui assure une discrétion absolue : personne n'en saura rien et son « honneur » (vers 987) sera sauf !

La déclaration de Tartuffe se clôt donc par une invitation à l'action et surtout par la revendication du « plaisir » au vers 1 000 (notez d'ailleurs que c'est la première fois que Tartuffe emploie un tel terme et que ce terme se trouve relégué dans le second hémistiche du dernier vers de sa tirade) : Tartuffe est passé de l'amour mystique à l'amour charnel.

3 – Les nouvelles armes du clan anti-Tartuffe

Cette scène de séduction présente un double intérêt dramatique. On voit tout d'abord le faux dévot en action; mais plus encore, Tartuffe se livre et se dévoile : en ce sens, il soulève lui-même le masque. Sous le vocabulaire de la dévotion* dont il enveloppe ses propos se découvre un Tartuffe plein de sensualité. Si Tartuffe est découvert par l'excès de son comportement, dans son entretien avec Elmire, c'est d'abord un geste qui le trahit et qui montre qu'il ne se maîtrise plus (vers 916).

Qu'apprend-on alors de Tartuffe? Bien sûr, Tartuffe apparaît comme un hypocrite. En outre, il se trahit car il apparaît comme l'esclave de ses sens, et la suite de la pièce révélera d'ailleurs que c'est cet amour qui le perdra : c'est grâce à Elmire – et par elle – que Tartuffe dévoilera sa fourberie à la face de tous, d'Orgon au premier chef.

Cette scène de séduction constitue par conséquent un **moment central** dans la pièce, ce qu'on appelle l'acmé de l'œuvre. Pourquoi? Parce que cette scène contient la péripétie*. Selon Aristote, la péripétie* est « le retournement de l'action en sens contraire », c'est-à-dire un événement inattendu qui crée un effet de surprise et modifie la situation matérielle et psychologique des personnages, les amenant à prendre des décisions. Cette scène bouleverse donc les données de la pièce, provoque un retournement qui relance l'action et va orienter différemment le reste de la pièce. Au premier péril (le mariage contrarié entre Mariane et Valère) s'ajoute un deuxième péril qui concerne la menace que fait peser Tartuffe sur Elmire.

À la fin de cette entrevue, deux armes sont à la disposition du clan des anti-Tartuffe : le chantage qu'exerce Elmire sur Tartuffe ; l'effet et l'émoi que provoque Elmire sur Tartuffe.

Conclusion

L'examen des deux tirades qui forment la déclaration amoureuse de Tartuffe à Elmire montre que le faux dévot possède une excellente maîtrise du langage. Cette dextérité rhétorique lui permet à la fois de conjuguer amour mystique et amour charnel et de déployer une argumentation impeccable et implacable, propre à lever les scrupules et les objections de la femme d'Orgon. Si cette déclaration montre le fourbe en action, elle permet de saisir également tout ce qui fait la force et la faiblesse de Tartuffe. Certes, la maîtrise du langage est pour lui une force, ainsi que la fin de l'acte va le dévoiler ; mais son amour pour Elmire constitue le point faible de Tartuffe, et ce qui achèvera de le perdre et de le confondre à la fin de la pièce.

Le dupeur et sa dupe

L'intervention impromptue de Damis empêche, nous l'avons vu, de connaître la réaction de Tartuffe et sa réponse au marché que lui propose Elmire. Elle provoque, en revanche, la réunion sur scène de Tartuffe et d'Orgon. Nous allons voir comment et à quel point Tartuffe manipule Orgon. Les scènes 6 et 7 mettent ainsi en exergue l'aveuglement d'Orgon, un aveuglement incontestablement porté à son comble à la fin de l'acte.

Insaisissable Orgon !

Orgon y apparaît comme une marionnette, entièrement soumise à la volonté de son directeur de conscience*. Cette aliénation et cette soumission sont d'autant plus manifestes qu'elles éclatent par contraste et opposition. Dans la scène 6 en effet, la relation Tartuffe-Orgon se double d'un affrontement père-fils. Il y a donc ici deux scènes en une, selon qu'Orgon s'adresse à Tartuffe ou à Damis. Plus encore, on y voit deux Orgon en action : l'individu manipulé, entièrement soumis à la volonté d'un autre, d'un côté ; le père tyrannique et cruel, qui n'hésite pas à faire subir à sa propre famille les foudres de son ire, d'un autre.

Orgon se présente dans cette scène comme un être doublement aveuglé : aveuglé par l'hypocrite comportement de Tartuffe ; aveuglé par la colère qui l'habite (rappelez-vous l'analyse onomastique* à laquelle nous avions procédé et ce qu'elle signalait d'emblée du personnage d'Orgon).

Le personnage d'Orgon s'y manifeste dans toute sa complexité : il est abusé par un faux dévot, il abuse lui-même de son statut de père et de son autorité paternelle ; il se présente tout à la fois comme un esclave et un maître. Il apparaît également dans toute sa contradiction : lui qui a décidé que la religion devait désormais gouverner sa vie (au point pour cela de « s'enticher » d'un directeur de conscience*), il n'en applique aucun des préceptes. Et la distance est grande entre la perfection chrétienne qu'il recherche et son comportement si peu conforme à ses aspirations (colère, égoïsme, autoritarisme...).

Cette contradiction avait déjà été pointée par Dorine dans sa savoureuse réplique de la scène 2 de l'acte II (vers 552) : « Ah ! vous êtes dévot, et vous vous emportez ? ». À l'acte II toutefois, cette contradiction prenait un tour comique et signalait le ridicule du personnage : elle éclate à la fin de cet acte III dans ses plus noirs effets et confère à la scène une tournure tragique.

Orgon, un être schizophrène ? C'est bien ce que laisse entendre la structure même de ses répliques. Chaque réplique d'Orgon souligne les deux aspects du personnage et montre les deux Orgon en action : à chaque fois qu'Orgon intervient, il s'adresse, au sein de la même réplique, alternativement à Tartuffe et à Damis, passant sans difficulté (et sans transition !) de la compassion la plus doucereuse à l'injure la plus cruelle.

Si noir Tartuffe

Par quels procédés et par quelle rhétorique Tartuffe parvient-il à se dégager de cette délicate situation ? L'habileté extrême de Tartuffe consiste à se disculper et à convaincre Orgon de son innocence... non point par des mensonges ou des protestations d'innocence, mais en avouant au contraire la vérité. Tartuffe se transforme ici en champion de l'humilité chrétienne, s'affiche comme un éternel pécheur repentant. Sa fourberie se manifeste par son attitude (il se met à genoux, implore Orgon), mais surtout par ses paroles. Il manie l'hyperbole avec une grande ruse, passant de la confession à l'auto-accusation. Le machiavélisme de Tartuffe apparaît alors dans toute sa noirceur, surtout dans les vers 1 091 à 1 106. C'est au moment où Tartuffe est le plus sincère, où il se livre enfin (il révèle à Orgon qui il est vraiment), qu'il parvient à duper et à abuser Orgon de la façon la plus éclatante et la plus scandaleuse. Tartuffe se présente enfin sous son vrai jour, sous son jour le plus noir puisque c'est celui-là même qui le sauve. Orgon, au lieu de prendre ces confessions au sens propre, les interprète comme des manifestations et des preuves de foi et de piété.

Le coup de théâtre

La scène 6 s'achève alors sur un coup de théâtre*, c'est-à-dire un bouleversement brutal des données de l'intrigue* et un retournement complet de situation. Orgon, loin de chasser Tartuffe, bannit Damis, précipite le mariage de l'hypocrite et de sa fille, et fait de Tartuffe son unique héritier.

Impétueux Damis

Réexaminons l'acte dans son entier. Le troisième acte s'ouvre donc avec Damis. Il faut interpréter cette entrée en scène comme un indice : de la même façon que Damis met fin à l'atmosphère de légèreté qui clôturait le deuxième acte, il se révèle l'élément déclencheur du reste de l'intrigue*. En refusant d'obéir, d'abord à Dorine (il refuse de sortir malgré ses multiples injonctions et assiste, à l'insu de tous, à l'entrevue de Tartuffe et d'Elmire), ensuite à Elmire (qui l'exhorte à ne point révéler ce qu'il vient de voir), il sabote le plan que cette dernière vient de mettre au point et provoque des périls bien plus grands encore (sa répudiation, la donation à Tartuffe, la précipitation du mariage entre Tartuffe et Mariane).

Tel père, tel fils

En ce sens, ce personnage se révèle bien tel que Madame Pernelle l'avait dépeint dans la scène d'exposition*. Il apparaît également comme le digne fils de son père : entêté, vif, bouillonnant et impulsif comme lui, il est prompt à s'emporter et vite aveuglé par la colère. Ses actes, qui ne sont jamais précédés d'une quelconque réflexion, en font, à l'instar d'Orgon, un être de réaction plus que d'action. Vous remarquez d'ailleurs que Dorine insiste d'emblée sur son caractère furieux et annonce la suite de l'action dans une réplique dont on ne saisit pas encore à quel point elle est prophétique (vers 849-850) :

> **Vous vous moquez : on sait vos transports ordinaires**
> **Et c'est le vrai moyen de gâter les affaires.**

Une didascalie trompeuse ?

La première scène s'achève sur une réplique ambiguë. Le « Retirez-vous » de Dorine au vers 852 s'entend comme un équivalent du « Sortez » de la réplique précédente (vers 851). Or, Damis, loin de sortir de la « salle basse » (vers 873), s'y dissimule et assiste à l'insu de tous à l'entrevue de Tartuffe et d'Elmire. À l'insu de tous ?

À l'insu du lecteur en tout cas, puisque la didascalie* de la scène suivante n'indique, comme seuls personnages présents sur scène, que « Elmire, Tartuffe » et non « Elmire, Tartuffe, Damis » (comme ce sera le cas pour la scène 5 de l'acte IV, qui précise la présence cachée d'Orgon). Cette didascalie est-elle erronée ? N'est-elle pas plutôt délibérément trompeuse et ne traduit-elle pas la volonté de Molière de ménager un effet de surprise et de suspens ?

À l'insu d'Elmire et de Tartuffe, sans nul doute : c'est de bonne foi qu'Elmire insiste au vers 898 sur la confidentialité de leur conversation, ce qui lui permet d'inviter Tartuffe à se dévoiler tout entier (elle n'imaginait pas jusqu'à quel point !).

À l'insu du spectateur ? Tout dépend pour ce dernier cas de l'habileté du metteur en scène : s'il est scrupuleux, il ménagera une ambiguïté suffisante pour que le spectateur croie, à l'instar du lecteur, que Damis a quitté la salle basse (et la scène). Cette didascalie sciemment inexacte exige alors l'explication que fournit Damis au début de la scène 4 lorsqu'il surgit hors de sa cachette : « J'étais en cet endroit, d'où j'ai pu tout entendre » (vers 1022).

Des dissensions au sein du clan des anti-Tartuffe ?

L'action des anti-Tartuffe n'est manifestement pas concertée et cela explique l'échec de la première tentative d'Elmire. L'intervention de Damis bouleverse le plan qu'Elmire vient d'ourdir. Comme lors de la première scène de l'acte, Damis refuse de suivre les conseils qui lui sont prodigués et « n'en fait qu'à sa tête » (« sans aller plus avant », vers 1053). Observez pour cela la répétition du « non » au début de la scène 4 qui ouvre à la fois la réplique de Damis et celle de sa belle-mère (vers 1021 et 1029) et sa récurrence au début de la dernière réplique de Damis (vers 1049). Elmire, qui déplore la réaction et l'entêtement de Damis, explique cette attitude, l'attribuant à son statut de belle-mère (vers 1071-1072) :

> **... et vous n'auriez rien dit,**
> **Damis, si j'avais eu sur vous quelque crédit.**

De l'acte III à l'acte IV : des constructions symétriques ?

L'acte III, par le stupéfiant coup de théâtre* qui le clôt, est l'acte de nouveaux périls. Au péril initial qui concernait le mariage de Mariane, s'est superposé le péril touchant Elmire et la menace qu'il fait peser sur le couple Elmire-Orgon. S'est ajouté, à la scène 7, le péril concernant les biens d'Orgon, puisque Tartuffe en est devenu l'exclusif bénéficiaire. Deux types de périls existent donc au début de l'acte IV : deux périls sentimentaux ainsi qu'un péril financier. L'acte III se révèle par conséquent un acte d'échec pour les membres du clan des anti-Tartuffe : il se clôt par le triomphe de Tartuffe. La tentative d'Elmire, sabotée par Damis, non seulement n'arrange rien mais rend la situation plus complexe et plus dangereuse encore...

Elle assoit un peu plus la position de Tartuffe au sein de la maison d'Orgon.

Un acte capital

L'acte IV remplit une fonction bien précise au sein de la structure d'une pièce en cinq actes : il est, comme il se doit, l'acte du rebondissement. En ce sens, le quatrième acte apparaît comme le *climax* de la pièce, le moment de son apogée : apogée parce que la tension dramatique y est portée à son comble et à son paroxysme ; apogée encore parce que le nœud n'y a jamais paru aussi resserré. Par conséquent, c'est au quatrième acte que se situe la péripétie* finale, celle qui va déterminer la catastrophe* et provoquer le dénouement* de l'intrigue*.

Dans *Le Tartuffe*, l'acte IV possède une étonnante singularité : s'il remplit effectivement toutes les fonctions qui lui sont dévolues par les règles de la dramaturgie classique, il se caractérise par le fait qu'il est le reflet inversé de l'acte III selon une construction rigoureusement symétrique. Il faut donc lire les actes III et IV comme des actes symétriques et jumeaux.

La défaite des anti-Tartuffe… suite

Au début de ce quatrième acte, tout le « clan des anti-Tartuffe » est mobilisé pour tenter d'éviter les périls qui menacent la famille d'Orgon. Comment ? D'une part, en intercédant auprès de Tartuffe (scène 1), d'autre part en raisonnant Orgon (scène 3). Ces deux tentatives sont toutes deux également vaines et se soldent pareillement par un échec.

L'acte s'ouvre sur une explication entre Cléante et Tartuffe. Cette scène d'idées permet d'opposer deux comportements, celui de l'homme d'esprit et celui de l'homme d'Église. Cléante représente l'honnête homme au sens du XVIIe siècle : il appartient chez Molière à la catégorie des « raisonneurs ». En ce sens, Cléante incarne la norme (contrepoint de la monomanie déviante d'Orgon et de la fourberie de Tartuffe) et sans doute convient-il de voir en ce personnage le porte-parole de Molière. Tartuffe, quant à lui, n'a plus besoin d'exhiber la feinte humilité dont il a fait preuve devant Orgon, et il se distingue dans cette scène par son cynisme et sa brutalité. Cléante cherche à placer Tartuffe devant ses contradictions et l'invite à mettre en pratique les vertus chrétiennes qu'il prône à tout propos. Sans succès... Il est éconduit sans ménagement.

La seconde tentative concerne Orgon, brandissant le fatal contrat qui doit unir Mariane à Tartuffe, et bien décidé à ce que ce mariage ait lieu sans délai. La scène prend des allures de tragédie : Mariane, en pleurs, agenouillée devant son père, cherche à l'attendrir. Elle préfère le couvent à un mariage malheureux ! Tous interviennent pour qu'Orgon renonce à ce funeste projet. Tous sont vivement et brutalement interrompus (remarquez dans ce passage que le comportement d'Orgon rappelle celui de Madame Pernelle à la scène 1 de l'acte I). Tous ? L'intervention d'Elmire fait basculer la scène (et l'intrigue*) de manière inattendue.

Une intervention stratégique...

Elmire n'intervient qu'au moment où la situation lui paraît définitivement compromise : personne ne parvient à faire entendre raison à Orgon. Elle prend par conséquent l'initiative et propose à Orgon un stratagème qu'elle présente comme le seul possible, celui du dernier recours. Elle le lui propose sous la forme d'un marché, presque d'un défi, qu'Orgon prend au mot (vers 1353). Orgon veut voir ? Eh bien, il verra : la fourberie et l'hypocrisie de Tartuffe lui crèveront les yeux ! Remarquez à ce propos que tout le dialogue entre Elmire et Orgon mobilise le champ lexical de la vue et de l'aveuglement (le verbe « voir » ouvre d'ailleurs la réplique d'Elmire au vers 1313).

... qu'une sortie habile a rendue possible – La sortie d'Elmire, à la scène 5 de l'acte III, avait de quoi surprendre : pourquoi Elmire ne se rangeait-elle pas du côté de Damis pour convaincre Orgon de la fourberie de Tartuffe ? Cette sortie surprenante s'avère en fait, à l'acte IV, une manœuvre habile : son refus du coup d'éclat et du scandale permet à Elmire d'obtenir une autre entrevue avec Tartuffe, afin de le démasquer.

Une entrevue en contrepoint

Le théâtre dans le théâtre – Cette seconde entrevue entre Elmire et Tartuffe est le pendant de la première : ces deux scènes, en quelque sorte jumelles, constituent chacune le sommet des actes III et IV. La seconde n'est pourtant guère la reproduction de la première, mais en représente au contraire le reflet inversé, l'exact contrepoint.

Première différence, l'identité du témoin caché. Orgon assiste à l'entrevue entre Elmire et Tartuffe et succède ainsi à Damis dans le rôle du « témoin caché ». Deuxième différence, cette présence cachée ne se fait pas à l'insu des deux protagonistes, comme c'était le cas précédemment, mais à l'insu du seul Tartuffe. Et toutes les paroles d'Elmire, si elles s'adressent à Tartuffe, sont en fait destinées à Orgon. Ce procédé est celui du théâtre dans le théâtre : un personnage caché (Orgon) en observe un deuxième ignorant tout du piège qu'on lui tend (Tartuffe) pendant qu'un troisième ment délibérément (Elmire). Cette scène complique également le schéma de la double énonciation théâtrale (reportez-vous aux Ouvertures), puisque s'y greffe un troisième destinataire, Orgon. Les paroles d'Elmire sont fausses et volontairement équivoques : elles visent à tromper Tartuffe, afin qu'il se découvre et qu'enfin le désabusement d'Orgon s'opère.

Le masque d'Elmire – Autre différence, encore. Dans cette seconde entrevue avec Tartuffe, Elmire prend l'initiative. Mais d'une manière radicalement différente de la première fois. Elmire cherche, ici, à faire tomber le masque de Tartuffe (lors de la première entrevue, Tartuffe l'ôtait de son propre chef). Pour faire tomber le masque, elle doit se résoudre elle-même à en porter un. Elmire retourne contre Tartuffe ses propres armes : à hypocrite, hypocrite et demi ! Les membres du clan des anti-Tartuffe en sont donc réduits à utiliser les armes de leur adversaire, pour neutraliser ce dernier. La ruse et le masque ne sont plus l'apanage de l'escroc : au contraire, pour dénoncer la tromperie, le seul moyen est la tromperie elle-même. Similitude de moyen certes, mais différence radicale de finalité : la ruse et la feinte sont employées par Tartuffe pour servir ses intérêts propres; dans l'autre camp, au contraire, la tromperie a pour fin paradoxale de faire jaillir la vérité. Ce recours à la duperie contraint toutefois Elmire à se justifier à maintes reprises (scènes 3 et 7) : elle insiste sur son honnêteté et souligne bien que ce sont les circonstances qui l'ont réduite à de telles extrémités.

La défaite des anti-Tartuffe... fin

Cette scène s'avère bien celle de l'abuseur abusé, du dupeur dupé. Tartuffe, enfin, est démasqué. Plus encore, Orgon est enfin « détartuffié » ! Le stratagème mis en place par Elmire a fonctionné et cette scène signe la défaite de Tartuffe. Elle signe également la victoire d'Elmire qui, sans se compromettre, est parvenue à « ouvrir les yeux » d'Orgon (observez comment Elmire savoure son triomphe en maniant l'ironie à la scène 6). C'est grâce à Elmire qu'on prend toute la mesure de la fourberie de Tartuffe. Tartuffe, que sa sensualité et son amour pour Elmire ont fini par perdre. Tartuffe, qui a péché par excès et par démesure, en désirant la seule chose qu'Orgon ne lui offrait pas, Elmire, et en ne se contentant pas de ce qu'Orgon lui proposait, maison, argent, fille.

Défaite de Tartuffe ? Cette défaite apparaît bien fragile et trompeuse. Elle est en tout cas de courte durée.

La victoire du parasite

La lutte que mène la famille d'Orgon contre Tartuffe est une lutte pour la conquête d'un terrain : la maison d'Orgon, si bien symbolisée dans la pièce par l'adverbe « céans » (dont vous trouvez de multiples occurrences). Tartuffe, en bon parasite, a investi un lieu qui n'est pas le sien, et sur lequel surtout il ne peut revendiquer aucun droit. Jusqu'à la dernière scène de l'acte IV, tous cherchent à expulser Tartuffe hors de « céans » et s'opposent pour ce faire à Orgon, qui n'a au contraire de cesse que de l'y maintenir. Pis encore, Orgon n'hésite pas à chasser ceux qui tentent de chasser Tartuffe (regardez Damis).

À la scène 8, Orgon, désabusé, veut à son tour se débarrasser de Tartuffe et le somme de vider les lieux. Notez combien les vers 1554 et 1556 contrastent avec les anciens propos d'Orgon (vers 1165, par exemple). Catastrophe ! Non seulement Tartuffe n'a pas l'intention de quitter la maison d'Orgon, mais il renvoie l'injonction à Orgon et sa famille (« C'est à vous d'en sortir », vers 1557). Tartuffe n'est plus un parasite : il est au contraire désormais dans un lieu qui lui revient de droit, grâce à la donation qu'Orgon lui a faite. Il s'agit bien d'une catastrophe* ici, au sens que ce terme prend en dramaturgie : la catastrophe* est l'ultime péripétie*, la péripétie* finale, celle qui va conduire au dénouement*. La catastrophe* amène en tout cas la victoire (momentanée) de Tartuffe.

Des actes comiques ?

Ces deux actes extrêmement sombres ne sont pas pour autant exempts de comique. Celui-là se révèle d'ailleurs tout à fait fondamental ici, car lui seul empêche que la pièce ne bascule dans la tragédie. Différentes formes de comique sont convoquées dans les deux actes. Le comique de mots, tout d'abord, se manifeste, notamment à la scène 6 de l'acte III, à travers les insultes, injures, malédictions et menaces qu'Orgon fait pleuvoir sur Damis. Le comique de gestes apparaît ensuite, lorsque Tartuffe se jette aux pieds d'Orgon (vers 1105), que celui-ci réclame un bâton ; il apparaît également avec les gestes outrés qui scellent la réconciliation de l'imposteur et du dupé à la scène 7 du même acte. Le comique de farce*, surtout, est éclatant à l'acte IV, dans le stratagème qu'élabore Elmire : Orgon doit se cacher... sous la table ! La situation burlesque peut même basculer dans le scabreux : Orgon doit accepter que sa femme séduise Tartuffe et prend ainsi le risque de passer pour (voire d'être) un mari cocu. On rencontre encore ce comique de farce*, lorsque Elmire, ne sachant plus comment inciter Orgon à quitter la table sous laquelle il est caché, tousse à maintes reprises pour le prévenir.

Ce ne sont que quelques-unes des multiples manifestations du comique dans les deux actes, vous pouvez à loisir en relever d'autres.

Pour autant, l'acte IV ne s'achève guère dans la joie. Il voit, au contraire, le triomphe de Tartuffe. Et Orgon vient d'évoquer une mystérieuse et inquiétante cassette...

à vous...

1 – Qui est le grand absent de la pièce ? Pourquoi une telle absence ? Qu'aurait exigé sa présence ? Expliquez selon vous le choix de Molière.

2 – Examinez les répliques de Damis dans la scène 6 de l'acte III. Que constatez-vous ? Selon vous, y apparaît-il comme un personnage de comédie* ou de tragédie ? Justifiez votre réponse.

3 – Quelle est la valeur des pronoms personnels « on » prononcés par Elmire dans les vers 1411 à 1436 ? Pourquoi a-t-elle recours à ce pronom personnel ?

4 – Examinez les propos d'Elmire aux vers 1507 à 1519. Quelle est la valeur des « on » qu'elle emploie ? À qui sont-ils en fait adressés ? Montrez que Tartuffe en est dupe.

ACTE V

SCÈNE 1

ORGON, CLÉANTE

CLÉANTE

Où voulez-vous courir?

ORGON

Las! que sais je?

CLÉANTE

Il me semble
Que l'on doit commencer par consulter ensemble
Les choses qu'on peut faire en cet événement.

ORGON

Cette cassette-là me trouble entièrement;
Plus que le reste encor elle me désespère.

CLÉANTE

Cette cassette est donc un important mystère?

ORGON

C'est un dépôt qu'Argas, cet ami que je plains[1],
Lui-même, en grand secret, m'a mis entre les mains :
Pour cela, dans sa fuite, il me voulut élire;
Et ce sont des papiers, à ce qu'il m'a pu dire,
Où sa vie et ses biens se trouvent attachés.

CLÉANTE

Pourquoi donc les avoir en d'autres mains lâchés?

ORGON

Ce fut par un motif de cas de conscience :
J'allai droit à mon traître en faire confidence;
Et son raisonnement me vint persuader
De lui donner plutôt la cassette à garder,
Afin que, pour nier, en cas de quelque enquête,
J'eusse d'un faux-fuyant la faveur toute prête,
Par où ma conscience eût pleine sûreté
À faire des serments contre la vérité[2].

CLÉANTE

Vous voilà mal, au moins si j'en crois l'apparence;
Et la donation, et cette confidence,
Sont, à vous en parler selon mon sentiment,
Des démarches par vous faites légèrement.
On peut vous mener loin avec de pareils gages;
Et cet homme sur vous ayant ces avantages,
Le pousser est encor grande imprudence à vous,
Et vous deviez chercher quelque biais plus doux.

1. Que je plains : que je regrette.
2. Contre la vérité : pratique de la «restriction mentale» (allusion à Pascal).

ORGON

Quoi ? sous un beau semblant de ferveur si touchante
Cacher un cœur si double, une âme si méchante !
Et moi qui l'ai reçu gueusant[1] et n'ayant rien...
C'en est fait, je renonce à tous les gens de bien :
J'en aurai désormais une horreur effroyable,
Et m'en vais devenir pour eux pire qu'un diable.

CLÉANTE

Hé bien ! ne voilà pas de vos emportements !
Vous ne gardez en rien les doux tempéraments[2] ;
Dans la droite raison jamais n'entre la vôtre,
Et toujours d'un excès vous vous jetez dans l'autre.
Vous voyez votre erreur, et vous avez connu
Que par un zèle feint vous étiez prévenu[3] ;
Mais pour vous corriger, quelle raison demande
Que vous alliez passer dans une erreur plus grande,
Et qu'avecque le cœur d'un perfide vaurien
Vous confondiez les cœurs de tous les gens de bien ?
Quoi ? parce qu'un fripon vous dupe avec audace
Sous le pompeux éclat d'une austère grimace,
Vous voulez que partout on soit fait comme lui,
Et qu'aucun vrai dévot ne se trouve aujourd'hui ?
Laissez aux libertins ces sottes conséquences ;
Démêlez la vertu d'avec ses apparences,
Ne hasardez jamais votre estime trop tôt,
Et soyez pour cela dans le milieu qu'il faut :
Gardez-vous, s'il se peut, d'honorer l'imposture,

1. Gueusant : mendiant.
2. Tempéraments : modération, juste mesure.
3. Prévenu : trompé, abusé.

Mais au vrai zèle aussi n'allez pas faire injure[1];
Et s'il vous faut tomber dans une extrémité,
Péchez plutôt encor de cet autre côté.

SCÈNE 2

DAMIS, ORGON, CLÉANTE

DAMIS

Quoi ? mon père, est-il vrai qu'un coquin vous menace ?
Qu'il n'est point de bienfait qu'en son âme il n'efface,
Et que son lâche orgueil, trop digne de courroux,
Se fait de vos bontés des armes contre vous ?

ORGON

Oui, mon fils, et j'en sens des douleurs non pareilles.

DAMIS

Laissez-moi, je lui veux couper les deux oreilles :
Contre son insolence on ne doit point gauchir[2],
C'est à moi, tout d'un coup, de vous en affranchir,
Et pour sortir d'affaire, il faut que je l'assomme.

CLÉANTE

Voilà tout justement parler en vrai jeune homme.
Modérez, s'il vous plaît, ces transports éclatants :
Nous vivons sous un règne et sommes dans un temps
Où par la violence on fait mal ses affaires.

1. Faire injure : faire injustice.
2. Gauchir : biaiser, chercher des détours.

SCÈNE 3

MADAME PERNELLE, MARIANE, ELMIRE, DORINE, DAMIS, ORGON, CLÉANTE

MADAME PERNELLE

Qu'est-ce ? J'apprends ici de terribles mystères.

ORGON

Ce sont des nouveautés dont mes yeux sont témoins,
Et vous voyez le prix dont sont payés mes soins.
Je recueille avec zèle un homme en sa misère,
Je le loge, et le tiens comme mon propre frère ;
De bienfaits chaque jour il est par moi chargé ;
Je lui donne ma fille et tout le bien que j'ai ;
Et, dans le même temps, le perfide, l'infâme,
Tente le noir dessein de suborner[1] ma femme,
Et non content encor de ces lâches essais,
Il m'ose menacer de mes propres bienfaits,
Et veut, à ma ruine[2], user des avantages
Dont le viennent d'armer mes bontés trop peu sages,
Me chasser de mes biens, où je l'ai transféré[3],
Et me réduire au point d'où je l'ai retiré.

DORINE

Le pauvre homme !

1. Suborner : séduire.
2. À ma ruine : en vue de ma ruine.
3. Où je l'ai transféré : dont je l'ai fait le propriétaire (terme juridique).

MADAME PERNELLE

Mon fils, je ne puis du tout croire
Qu'il ait voulu commettre une action si noire.

ORGON

Comment?

MADAME PERNELLE

Les gens de bien sont enviés toujours.

ORGON

Que voulez-vous donc dire avec votre discours,
Ma mère?

MADAME PERNELLE

Que chez vous on vit d'étrange sorte,
Et qu'on ne sait que trop la haine qu'on lui porte.

ORGON

Qu'a cette haine à faire avec ce qu'on vous dit?

MADAME PERNELLE

Je vous l'ai dit cent fois quand vous étiez petit :
La vertu dans le monde est toujours poursuivie;
Les envieux mourront, mais non jamais l'envie.

ORGON

Mais que fait ce discours aux choses d'aujourd'hui?

MADAME PERNELLE

On vous aura forgé cent sots contes de lui.

ORGON

Je vous ai dit déjà que j'ai vu tout moi-même.

MADAME PERNELLE

Des esprits médisants la malice est extrême.

ORGON

Vous me feriez damner, ma mère. Je vous dis
Que j'ai vu de mes yeux un crime si hardi.

MADAME PERNELLE

Les langues ont toujours du venin à répandre,
Et rien n'est ici-bas qui s'en puisse défendre.

ORGON

C'est tenir un propos de sens bien dépourvu.
Je l'ai vu, dis-je, vu, de mes propres yeux vu,
Ce qu'on appelle vu : faut-il vous le rebattre[1]
Aux oreilles cent fois, et crier comme quatre?

MADAME PERNELLE

Mon Dieu, le plus souvent l'apparence déçoit[2] :
Il ne faut pas toujours juger sur ce qu'on voit.

ORGON

J'enrage.

MADAME PERNELLE

Aux faux soupçons la nature est sujette,
Et c'est souvent à mal que le bien s'interprète.

1. Rebattre : répéter (voir l'expression «rebattre les oreilles»).
2. Déçoit : trompe.

ORGON

Je dois interpréter à charitable soin
Le désir d'embrasser ma femme?

MADAME PERNELLE

Il est besoin,
Pour accuser les gens, d'avoir de justes causes;
Et vous deviez attendre à vous voir sûr des choses.

ORGON

Hé, diantre! le moyen de m'en assurer mieux?
Je devais donc, ma mère, attendre qu'à mes yeux
Il eût... Vous me feriez dire quelque sottise.

MADAME PERNELLE

Enfin d'un trop pur zèle on voit son âme éprise;
Et je ne puis du tout me mettre dans l'esprit
Qu'il ait voulu tenter les choses que l'on dit.

ORGON

Allez, je ne sais pas, si vous n'étiez ma mère,
Ce que je vous dirais, tant je suis en colère.

DORINE

Juste retour, Monsieur, des choses d'ici-bas :
Vous ne vouliez point croire, et l'on ne vous croit pas.

CLÉANTE

Nous perdons des moments en bagatelles pures,
Qu'il faudrait employer à prendre des mesures.
Aux menaces du fourbe on doit ne dormir point.

DAMIS

Quoi ? son effronterie irait jusqu'à ce point ?

ELMIRE

Pour moi, je ne crois pas cette instance[1] possible,
Et son ingratitude est ici trop visible.

CLÉANTE

Ne vous y fiez pas : il aura des ressorts
Pour donner contre vous raison à ses efforts ;
Et sur moins que cela, le poids d'une cabale
Embarrasse les gens dans un fâcheux dédale.
Je vous le dis encor : armé de ce qu'il a,
Vous ne deviez jamais le pousser jusque-là.

ORGON

Il est vrai ; mais qu'y faire ? À l'orgueil de ce traître,
De mes ressentiments je n'ai pas été maître.

CLÉANTE

Je voudrais, de bon cœur, qu'on pût entre vous deux
De quelque ombre de paix raccommoder les nœuds.

ELMIRE

Si j'avais su qu'en main il a de telles armes,
Je n'aurais pas donné matière à tant d'alarmes,
Et mes…

ORGON

Que veut cet homme ? Allez tôt le savoir.
Je suis bien en état que l'on me vienne voir !

1. Instance : action en justice.

SCÈNE 4

MONSIEUR LOYAL, MADAME PERNELLE,
ORGON, DAMIS, MARIANE, DORINE,
ELMIRE, CLÉANTE

MONSIEUR LOYAL

Bonjour, ma chère sœur[1] ; faites, je vous supplie,
Que je parle à Monsieur.

DORINE

Il est en compagnie,
Et je doute qu'il puisse à présent voir quelqu'un.

MONSIEUR LOYAL

Je ne suis pas pour être en ces lieux importun.
Mon abord n'aura rien, je crois, qui lui déplaise ;
Et je viens pour un fait dont il sera bien aise.

DORINE

Votre nom ?

MONSIEUR LOYAL

Dites-lui seulement que je viens
De la part de Monsieur Tartuffe, pour son bien.

DORINE

C'est un homme qui vient, avec douce manière,

1. Ma chère sœur : appellation dévote ; équivalent de « frère ».

De la part de Monsieur Tartuffe, pour affaire
Dont vous serez, dit-il, bien aise.

CLÉANTE

Il vous faut voir
Ce que c'est que cet homme, et ce qu'il peut vouloir.

ORGON

Pour nous raccommoder il vient ici peut-être :
Quels sentiments aurai-je à lui faire paraître ?

CLÉANTE

Votre ressentiment ne doit point éclater ;
Et s'il parle d'accord, il le faut écouter.

MONSIEUR LOYAL

Salut, Monsieur. Le Ciel perde qui vous veut nuire,
Et vous soit favorable autant que je désire !

ORGON

Ce doux début s'accorde avec mon jugement,
Et présage déjà quelque accommodement.

MONSIEUR LOYAL

Toute votre maison m'a toujours été chère,
Et j'étais serviteur[1] de Monsieur votre père.

ORGON

Monsieur, j'ai grande honte et demande pardon
D'être sans vous connaître ou savoir votre nom.

1. Serviteur de : dévoué à (formule de politesse).

MONSIEUR LOYAL

Je m'appelle Loyal, natif de Normandie,
Et suis huissier à verge[1], en dépit de l'envie.
J'ai depuis quarante ans, grâce au Ciel, le bonheur
D'en exercer la charge avec beaucoup d'honneur;
Et je vous viens, Monsieur, avec votre licence[2],
Signifier l'exploit[3] de certaine ordonnance[4]...

ORGON

Quoi? vous êtes ici... ?

MONSIEUR LOYAL

Monsieur, sans passion :
Ce n'est rien seulement qu'une sommation,
Un ordre de vuider d'ici[5], vous et les vôtres,
Mettre vos meubles hors, et faire place à d'autres,
Sans délai ni remise, ainsi que besoin est...

ORGON

Moi, sortir de céans?

MONSIEUR LOYAL

Oui, Monsieur, s'il vous plaît.
La maison à présent, comme savez de reste,
Au bon Monsieur Tartuffe appartient sans conteste.
De vos biens désormais il est maître et seigneur,
En vertu d'un contrat duquel je suis porteur :
Il est en bonne forme, et l'on n'y peut rien dire.

1. Verge : baguette dont se servent les huissiers et qui représente symboliquement la profession.
2. Licence : permission.
3. Exploit : exécution.
4. Ordonnance : décision de justice; ici, la saisie des biens d'Orgon.
5. Vuider d'ici : quitter ces lieux (terme juridique).

DAMIS

Certes cette impudence est grande, et je l'admire.

MONSIEUR LOYAL

Monsieur, je ne dois point avoir affaire à vous;
C'est à Monsieur : il est et raisonnable et doux,
Et d'un homme de bien il sait trop bien l'office[1],
Pour se vouloir du tout opposer à justice.

ORGON

Mais…

MONSIEUR LOYAL

Oui, Monsieur, je sais que pour un million
Vous ne voudriez pas faire rébellion,
Et que vous souffrirez, en honnête personne,
Que j'exécute ici les ordres qu'on me donne.

DAMIS

Vous pourriez bien ici sur votre noir jupon[2],
Monsieur l'huissier à verge, attirer le bâton.

MONSIEUR LOYAL

Faites que votre fils se taise ou se retire,
Monsieur. J'aurais regret d'être obligé d'écrire,
Et de vous voir couché dans mon procès-verbal.

DORINE

Ce Monsieur Loyal porte un air bien déloyal!

1. Office : devoir.
2. Noir jupon : veste à grande basque et tenue de l'huissier.

MONSIEUR LOYAL

Pour tous les gens de bien j'ai de grandes tendresses,
Et ne me suis voulu, Monsieur, charger des pièces[1]
Que pour vous obliger et vous faire plaisir,
Que pour ôter par là le moyen d'en choisir[2]
Qui, n'ayant pas pour vous le zèle qui me pousse,
Auraient pu procéder d'une façon moins douce.

ORGON

Et que peut-on de pis que d'ordonner aux gens
De sortir de chez eux?

MONSIEUR LOYAL

On vous donne du temps,
Et jusques à demain je ferai surséance[3]
À l'exécution, Monsieur, de l'ordonnance.
Je viendrai seulement passer ici la nuit,
Avec dix de mes gens, sans scandale et sans bruit.
Pour la forme, il faudra, s'il vous plaît, qu'on m'apporte,
Avant que se coucher, les clefs de votre porte,
J'aurai soin de ne pas troubler votre repos,
Et de ne rien souffrir qui ne soit à propos.
Mais demain, du matin, il vous faut être habile[4]
À vuider de céans jusqu'au moindre ustensile :
Mes gens vous aideront, et je les ai pris forts,
Pour vous faire service à tout mettre dehors.
On n'en peut pas user mieux que je fais, je pense;
Et comme je vous traite avec grande indulgence,

1. Pièces : ordres de saisie.
2. D'en choisir : de choisir d'autres huissiers.
3. Ferai surséance : accorderai un sursis.
4. Habile : prompt, prêt.

Je vous conjure aussi, Monsieur, d'en user bien,
Et qu'au dû de ma charge on ne me trouble en rien.

ORGON

Du meilleur de mon cœur je donnerais sur l'heure
Les cent plus beaux louis de ce qui me demeure,
Et pouvoir, à plaisir, sur ce mufle assener
Le plus grand coup de poing qui se puisse donner.

CLÉANTE

Laissez, ne gâtons rien.

DAMIS

À cette audace étrange
J'ai peine à me tenir, et la main me démange.

DORINE

Avec un si bon dos, ma foi, Monsieur Loyal,
Quelques coups de bâton ne vous siéraient pas mal.

MONSIEUR LOYAL

On pourrait bien punir ces paroles infâmes,
Mamie, et l'on décrète[1] aussi contre les femmes.

CLÉANTE

Finissons tout cela, Monsieur : c'en est assez ;
Donnez tôt ce papier, de grâce, et nous laissez.

MONSIEUR LOYAL

Jusqu'au revoir. Le Ciel vous tienne tous en joie !

1. Décrète : lance des décrets d'arrestation.

ORGON

Puisse-t-il te confondre, et celui qui t'envoie !

SCÈNE 5

ORGON, CLÉANTE, MARIANE, ELMIRE, MADAME PERNELLE, DORINE, DAMIS

ORGON

Hé bien, vous le voyez, ma mère, si j'ai droit[1],
Et vous pouvez juger du reste par l'exploit :
Ses trahisons enfin vous sont-elles connues ?

MADAME PERNELLE

Je suis toute ébaubie, et je tombe des nues !

DORINE

Vous vous plaignez à tort, à tort vous le blâmez,
Et ses pieux desseins par là sont confirmés :
Dans l'amour du prochain, sa vertu se consomme[2] ;
Il sait que très souvent les biens corrompent l'homme,
Et par charité pure, il veut vous enlever
Tout ce qui vous peut faire obstacle à vous sauver.

ORGON

Taisez-vous : c'est le mot qu'il vous faut toujours dire.

1. Droit : raison.
2. Se consomme : arrive à son point de perfection.

CLÉANTE

Allons voir quel conseil[1] on doit vous faire élire.

ELMIRE

Allez faire éclater l'audace de l'ingrat.
Ce procédé détruit la vertu[2] du contrat;
Et sa déloyauté va paraître trop noire,
Pour souffrir qu'il en ait le succès qu'on veut croire.

SCÈNE 6

VALÈRE, ORGON, CLÉANTE, ELMIRE, MARIANE, etc.

VALÈRE

Avec regret, Monsieur, je viens vous affliger;
Mais je m'y vois contraint par le pressant danger.
Un ami, qui m'est joint d'une amitié fort tendre,
Et qui sait l'intérêt qu'en vous j'ai lieu de prendre,
A violé pour moi, par un pas délicat,
Le secret que l'on doit aux affaires d'État,
Et me vient d'envoyer un avis dont la suite
Vous réduit au parti d'une soudaine fuite.
Le fourbe qui longtemps a pu vous imposer[3]
Depuis une heure au Prince[4] a su vous accuser,
Et remettre en ses mains, dans les traits qu'il vous jette,

1. Conseil : décision, résolution.
2. Vertu : validité.
3. Imposer : tromper.
4. Prince : roi.

D'un criminel d'État l'importante cassette,
Dont, au mépris, dit-il, du devoir d'un sujet,
Vous avez conservé le coupable secret.
J'ignore le détail du crime qu'on vous donne;
Mais un ordre est donné contre votre personne;
Et lui-même est chargé, pour mieux l'exécuter,
D'accompagner celui qui vous doit arrêter.

CLÉANTE

Voilà ses droits armés; et c'est par où le traître
De vos biens qu'il prétend[1] cherche à se rendre maître.

ORGON

L'homme est, je vous l'avoue, un méchant animal!

VALÈRE

Le moindre amusement[2] vous peut être fatal.
J'ai, pour vous emmener, mon carrosse à la porte,
Avec mille louis qu'ici je vous apporte.
Ne perdons point de temps : le trait est foudroyant,
Et ce sont de ces coups que l'on pare en fuyant.
À vous mettre en lieu sûr je m'offre pour conduite,
Et veux accompagner jusqu'au bout votre fuite.

ORGON

Las! que ne dois-je point à vos soins obligeants!
Pour vous en rendre grâce il faut un autre temps;
Et je demande au Ciel de m'être assez propice,
Pour reconnaître un jour ce généreux service.
Adieu : prenez le soin, vous autres…

1. Qu'il prétend : qu'il revendique.
2. Amusement : retard, perte de temps.

CLÉANTE

Allez tôt :
Nous songerons, mon frère, à faire ce qu'il faut.

SCÈNE DERNIÈRE

L'EXEMPT, TARTUFFE, VALÈRE, ORGON, ELMIRE, MARIANE, etc.

TARTUFFE

Tout beau, Monsieur, tout beau, ne courez point si vite :
Vous n'irez pas fort loin pour trouver votre gîte,
Et de la part du Prince on vous fait prisonnier.

ORGON

Traître, tu me gardais ce trait pour le dernier ;
C'est le coup, scélérat, par où tu m'expédies[1],
Et voilà couronner toutes tes perfidies.

TARTUFFE

Vos injures n'ont rien à me pouvoir aigrir,
Et je suis pour le Ciel appris[2] à tout souffrir.

CLÉANTE

La modération est grande, je l'avoue.

DAMIS

Comme du Ciel l'infâme impudemment se joue !

1. M'expédies : me fais mourir, m'achèves.
2. Appris : préparé, habitué.

TARTUFFE

Tous vos emportements ne sauraient m'émouvoir,
Et je ne songe à rien qu'à faire mon devoir.

MARIANE

Vous avez de ceci grande gloire à prétendre,
Et cet emploi pour vous est fort honnête à prendre.

TARTUFFE

Un emploi ne saurait être que glorieux,
Quand il part du pouvoir qui m'envoie en ces lieux.

ORGON

Mais t'es-tu souvenu que ma main charitable,
Ingrat, t'a retiré d'un état misérable ?

TARTUFFE

Oui, je sais quel secours j'en ai pu recevoir ;
Mais l'intérêt du Prince est mon premier devoir ;
De ce devoir sacré la juste violence
Étouffe dans mon cœur toute reconnaissance,
Et je sacrifierais à de si puissants nœuds
Ami, femme, parents, et moi-même avec eux.

ELMIRE

L'imposteur !

DORINE

Comme il sait de traîtresse manière,
Se faire un beau manteau de tout ce qu'on révère !

CLÉANTE

Mais s'il est si parfait que vous le déclarez,
Ce zèle qui vous pousse et dont vous vous parez,
D'où vient que pour paraître il s'avise d'attendre
Qu'à poursuivre sa femme il ait su vous surprendre,
Et que vous ne songez à l'aller dénoncer
Que lorsque son honneur l'oblige à vous chasser?
Je ne vous parle point, pour devoir en distraire[1],
Du don de tout son bien qu'il venait de vous faire;
Mais le voulant traiter en coupable aujourd'hui,
Pourquoi consentiez-vous à rien prendre de lui?

TARTUFFE, *à l'Exempt*

Délivrez-moi, Monsieur, de la criaillerie,
Et daignez accomplir votre ordre, je vous prie.

L'EXEMPT

Oui, c'est trop demeurer sans doute à l'accomplir :
Votre bouche à propos m'invite à le remplir;
Et pour l'exécuter, suivez-moi tout à l'heure[2]
Dans la prison qu'on doit vous donner pour demeure.

TARTUFFE

Qui? moi, Monsieur?

L'EXEMPT

Oui, vous.

TARTUFFE

Pourquoi donc la prison?

1. En distraire : vous détourner de votre intention première.
2. Tout à l'heure : sur-le-champ, immédiatement.

L'EXEMPT

Ce n'est pas vous à qui j'en veux rendre raison.
Remettez-vous, Monsieur, d'une alarme si chaude,
Nous vivons sous un Prince ennemi de la fraude,
Un Prince dont les yeux se font jour[1] dans les cœurs,
Et que ne peut tromper tout l'art des imposteurs.
D'un fin discernement sa grande âme pourvue
Sur les choses toujours jette une droite vue;
Chez elle jamais rien ne surprend trop d'accès[2],
Et sa ferme raison ne tombe en nul excès.
Il donne aux gens de bien une gloire immortelle;
Mais sans aveuglement il fait briller ce zèle,
Et l'amour pour les vrais ne ferme point son cœur
À tout ce que les faux doivent donner d'horreur.
Celui-ci n'était pas pour le pouvoir surprendre,
Et de pièges plus fins on le voit se défendre.
D'abord il a percé, par ses vives clartés,
Des replis de son cœur toutes les lâchetés.
Venant vous accuser, il s'est trahi lui-même,
Et par un juste trait de l'équité suprême,
S'est découvert au Prince un fourbe renommé,
Dont sous un autre nom il était informé;
Et c'est un long détail d'actions toutes noires
Dont on pourrait former des volumes d'histoires.
Ce monarque, en un mot, a vers vous détesté
Sa[3] lâche ingratitude et sa déloyauté;
À ses autres horreurs il a joint cette suite,
Et ne m'a jusqu'ici soumis à sa conduite
Que pour voir l'impudence aller jusques au bout,

1. Se font jour : voient clair, pénètrent.
2. Rien ne surprend trop d'accès : rien ne peut le surprendre, l'abuser.
3. Sa : l'adjectif possessif renvoie ici à Tartuffe.

Et vous faire par lui faire raison[1] de tout.
Oui, de tous vos papiers, dont il se dit le maître,
Il veut qu'entre vos mains je dépouille le traître.
D'un souverain pouvoir, il brise les liens
Du contrat qui lui fait un don de tous vos biens,
Et vous pardonne enfin cette offense secrète
Où vous a d'un ami fait tomber la retraite[2];
Et c'est le prix qu'il donne au zèle qu'autrefois
On vous vit témoigner en appuyant ses droits,
Pour montrer que son cœur sait, quand moins on y pense,
D'une bonne action verser la récompense,
Que jamais le mérite avec lui ne perd rien,
Et que mieux que du mal il se souvient du bien.

DORINE

Que le Ciel soit loué !

MADAME PERNELLE

Maintenant je respire.

ELMIRE

Favorable succès[3] !

MARIANE

Qui l'aurait osé dire ?

ORGON, *à Tartuffe*

Hé bien ! te voilà, traître…

1. Faire raison : faire réparation.
2. Retraite : départ, exil.
3. Succès : issue, fin.

CLÉANTE

Ah ! mon frère, arrêtez,
Et ne descendez point à des indignités ;
À son mauvais destin laissez un misérable,
Et ne vous joignez point au remords qui l'accable :
Souhaitez bien plutôt que son cœur en ce jour
Au sein de la vertu fasse un heureux retour,
Qu'il corrige sa vie en détestant son vice
Et puisse du grand Prince adoucir la justice,
Tandis qu'à sa bonté vous irez à genoux
Rendre ce que demande un traitement si doux.

ORGON

Oui, c'est bien dit : allons à ses pieds avec joie
Nous louer des bontés que son cœur nous déploie.
Puis, acquittés un peu de ce premier devoir,
Aux justes soins d'un autre il nous faudra pourvoir,
Et par un doux hymen couronner en Valère
La flamme d'un amant généreux et sincère.

Arrêt sur lecture 5

Le cinquième acte est l'acte du **dénouement***. De quoi s'agit-il précisément ? Formant « le dernier moment de la pièce » (J. Schérer) et permettant la résolution de l'intrigue*, le dénouement* constitue le moyen de déterminer la nature de la pièce de théâtre que vous lisez ou à laquelle vous assistez : si ce dénouement* est heureux, la pièce est une comédie* ; s'il est, en revanche, malheureux, nous sommes face à une tragédie. Le dénouement dans *Le Tartuffe*, heureux comme vous l'avez déjà constaté, permet donc de mettre un terme aux différentes perturbations provoquées par la présence de Tartuffe dans la maison d'Orgon, en d'autres termes de revenir à la situation initiale. Non pas celle du lever du rideau, mais au contraire celle de l'« avant Tartuffe », celle qui précédait son intrusion dans la maison d'Orgon. Le dénouement* s'entend donc comme un « retour à l'ordre », après les désordres causés par un élément perturbateur.

Une mystérieuse cassette...

L'acte IV se clôt sur une incertitude angoissée d'Orgon. Il y est fait pour la première fois allusion à une mystérieuse « cassette ». La mention de cette cassette ouvre l'acte V et sert de lien avec l'acte précédent. L'acte V s'ouvre donc sur une atmosphère d'attente.

Petite histoire de la Fronde

Cette cassette contient les papiers compromettants d'un ami d'Orgon, Argas (vers 1576 à 1584). Il est ici fait allusion à un épisode particulier de l'époque, celui de la Fronde. Pour les spectateurs contemporains de Molière, une simple mention de cet événement suffit : le souvenir de la Fronde est encore très présent dans les mémoires. Il l'est beaucoup moins pour nous aujourd'hui et un petit rappel historique s'impose. Qu'est-ce que la Fronde ? Il s'agit d'une période de révoltes et de troubles, de guerre civile en quelque sorte, qui a duré cinq ans (de 1648 à 1653). Provoquée par la lourdeur excessive des impôts (conséquence des guerres : la France était en guerre depuis 1635 avec la maison d'Autriche) et par la politique de Mazarin (développement de la puissance de l'État), cette crise éclate à Paris avant de s'étendre à l'ensemble du royaume : elle se transforme alors en révolte contre le pouvoir royal (le jeune Louis XIV est encore mineur, il n'a que dix ans au début des troubles). Toutefois, la Fronde échoue et Louis XIV est sacré roi à Reims durant l'été 1653.

On distinguait par conséquent encore les « frondeurs » (au rang desquels il faut placer Argas), c'est-à-dire ceux qui se sont insurgés et ont lutté contre le futur roi, et les « anti-frondeurs », ceux qui lui sont restés fidèles. Orgon est de ce nombre. Rappelez-vous que Dorine a fait allusion au comportement exemplaire de son maître durant cette période de troubles (vers 181-182) :

> **Nos troubles l'avaient mis sur le pied d'homme sage,**
> **Et pour servir son prince il montra du courage;**

La Fronde (1648-1653) éclate à Paris avant de s'étendre à l'ensemble du royaume. Premier acte pour rallier à sa cause : haranguer !

Pour autant, conserver les papiers d'un ancien frondeur, même par amitié, constitue une prise de risque importante et peut s'apparenter à un « crime de lèse-majesté ».

Une exposition incomplète ?

La mention de cette cassette à la fin de l'acte IV, qui plonge l'intrigue* dans un péril politique que seule l'intervention royale va parvenir à dissiper, exige un examen plus approfondi de la structure de la pièce et pose, une fois encore, le problème de l'exposition*. En effet, si l'attitude d'Orgon pendant la Fronde est mentionnée et saluée dans l'acte d'exposition*, il n'est jamais fait mention de la fameuse cassette. L'exposition*, malgré sa longueur, se révélerait-elle donc incomplète ? À première vue, oui, puisqu'il manque dans le premier acte un élément d'information décisif, la cassette, qui va conditionner la fin de l'intrigue* et provoquer le dénouement*. Il n'en est rien, en fait : l'exposition* s'avère complète. Ce qui importe foncièrement, ce n'est pas tant la cassette et ce qu'elle contient, que l'attitude d'Orgon pendant la Fronde qui va motiver la clémence du roi et justifier son pardon à la fin de la pièce. De cela, il est bien fait mention dès le premier acte.

Des scènes en miroir

Le dernier acte s'ouvre sur une atmosphère d'attente. Trois temps forts découpent cet acte : le rassemblement progressif de l'ensemble des membres de la famille autour d'Orgon, l'intervention de Monsieur Loyal, le dénouement* proprement dit provoqué par le retour sur scène de Tartuffe accompagné de l'Exempt.

L'union fait la force

L'acte commence par la rencontre de Cléante et d'Orgon. Orgon, désespéré par la révélation de l'imposture de Tartuffe et surtout par ses conséquences, ne sait plus que faire. Son impuissance se manifeste par une agitation stérile : il court, sans raison aucune. Arrêté dans sa course vaine par Cléante, il lui relate comment il fut persuadé par Tartuffe de lui confier la précieuse cassette. Orgon, une fois encore, a péché par naïveté et confiance excessive ; une fois encore, il s'est révélé la dupe de son imposteur.

Vous avez dit casuistique? – Dans les vers 1585 à 1592, Orgon expose le raisonnement développé par Tartuffe pour le persuader de se débarrasser de la cassette, et la mettre en des mains plus sûres... les siennes. Tartuffe a utilisé un mode de discours et de raisonnement particulier, la casuistique* jésuite. Il s'agit de l'étude des cas de conscience en application avec la morale religieuse. Pascal s'est employé à condamner et à ridiculiser dans *Les Provinciales* (1656-1657) cette méthode et ce mode de raisonnement, ainsi que les dérives qu'elle engendrait, notamment le laxisme.

La casuistique* se manifeste ici diversement. Lors de sa seconde entrevue avec Elmire, Tartuffe, afin de lever les scrupules d'Elmire, utilise la **direction de l'intention** (vers 1489 à 1492), qui consiste à excuser une mauvaise action, si l'intention en est pure. L'épisode de la cassette souligne une autre expression de la casuistique*, tout aussi malhonnête que la précédente, celle de la **restriction mentale**. Pascal la définit ainsi : « On peut jurer qu'on n'a pas fait une chose, quoiqu'on l'ait faite effectivement, en entendant en soi-même qu'on ne l'a pas faite un certain jour, ou avant qu'on fût né, ou en sous-entendant quelque autre circonstance pareille, sans que les paroles dont on se sert aient aucun sens qui le puisse faire connaître. Et cela est fort commode en beaucoup de rencontres, et est toujours très juste quand cela est nécessaire ou utile pour la santé, l'honneur ou le bien. » Autrement dit, par ce procédé fondé sur l'équivoque et l'ambiguïté, Orgon peut « faire des serments contre la vérité » (vers 1592) et, après avoir confié la cassette à Tartuffe, jurer sans scrupule qu'il n'est pas le détenteur de la cassette d'Argas... et se prétendre innocent. C.Q.F.D. !

Un pour tous, tous pour un – Les trois premières scènes de ce cinquième acte permettent la réunion progressive de tous les membres de la famille autour d'Orgon. Tous se retrouvent au fur et à mesure auprès du chef de famille. Le rassemblement de tous les protagonistes dans le cinquième acte est très fréquent dans la comédie*, comme dans la tragédie : il appartient à la tradition du dénouement*.

Tous accourent donc, pour assurer Orgon de leur soutien. Damis, tout d'abord. De manière extrêmement symptomatique, le fils banni, déshérité, maudit même quelques heures auparavant, est le premier à rejoindre son père pour lui offrir un soutien moral et surtout lui proposer une solution énergique et musclée (examinez la violence des termes employés par Damis). Le retour de Damis, sur le plan dramatique comme sur le plan symbolique, apparaît suffisamment important pour justifier une scène spécifique. À l'inverse, les autres protagonistes (Elmire, Mariane, Madame Pernelle, Dorine) interviendront tous ensemble à la scène suivante.

Cette réunion progressive des personnages sur la scène rappelle évidemment la scène de groupe qui ouvrait la pièce : en ce sens, cette scène se révèle bien le pendant symétrique de la scène d'ouverture. Ce rassemblement permet également d'examiner l'éventuelle évolution des personnages au cours de l'intrigue*. Ils sont tous fidèles à eux-mêmes et présentent des caractères et des rôles figés. Cette cohérence des caractères contribue à la dimension éminemment comique de cet acte. Examinons ce point d'un peu plus près. Damis témoigne de la même impétuosité et de la même fougue qu'au début de la pièce : son retour sur scène et dans la maison paternelle ne s'ouvre-t-il pas d'ailleurs – comme ses autres répliques – sur la vindicative interrogation « Quoi ? » ? De la même façon, les propos de Cléante qui tente de le raisonner (vers 1638-1639) ne sont pas sans rappeler ceux de Dorine à la première scène de l'acte III. Cléante se révèle plus raisonneur et raisonnable que jamais, prodiguant conseils et paroles sages et prônant l'indulgence et la modération : son attitude crée un contraste saisissant et comique avec la folie d'Orgon et ses stériles emportements. Dorine, quant à elle, ne quitte pas son ironie malicieuse et mordante, même dans les moments de grande tension où cette ironie n'est vraiment guère de mise : elle ne manque pas ainsi de rappeler à Orgon ses errances et erreurs passées en reprenant sa célèbre expression (« Le pauvre homme ! », vers 1657), provoquant un effet d'écho comique avec le premier acte. Elmire et Mariane, enfin, témoignent de la même retenue et de la même réserve (présente dès la scène 3 de l'acte final, Mariane n'interviendra qu'à la dernière scène).

Le fils et la mère : doubles anachroniques

Dès le début de l'acte, Orgon apparaît définitivement « détartuffié ».

S'est-il pour autant départi de son aveuglement et de son tempérament colérique ? Les deux dialogues, avec Cléante d'abord, avec Madame Pernelle ensuite, montreront qu'il n'en est rien.

L'entretien avec Cléante confirme un Orgon plein d'excès et de faiblesse, incapable de modération et de mesure, emporté par la colère et le ressentiment. Cet aveu d'impuissance se manifeste à travers la résolution radicale, infondée et stupide des vers 1604 à 1606 :

> **C'en est fait, je renonce à tous les gens de bien :**
> **J'en aurai désormais une horreur effroyable,**
> **Et m'en vais devenir pour eux pire qu'un diable.**

La confrontation d'Orgon avec sa mère portera la colère et l'exaspération d'Orgon à son comble. Bien évidemment, l'arrivée sur scène de Madame Pernelle laisse espérer (à juste titre) au spectateur, qui n'a guère oublié la savoureuse scène d'exposition*, un grand moment comique.

Madame Pernelle se révèle un personnage conforme à ce qu'avait laissé supposer la première scène de la pièce : une vieille bigote austère et rigide. Le comique que sa présence suscite se manifeste de diverses manières. Comique, tout d'abord, par l'entêtement borné qu'elle témoigne : elle est à ce moment-là de la pièce le dernier et l'unique personnage à soutenir encore Tartuffe, à rester indéfectiblement dans le clan des « pro-Tartuffe », à ne pas être encore « détartuffiée ».

Comique par ses propos, ensuite. L'aveuglement stupide de Madame Pernelle ainsi que son archaïsme se manifestent dans le vocabulaire qu'elle emploie : ses répliques se caractérisent toutes par la convocation de lieux communs, adages, proverbes, expressions figées... N'écoutant guère Orgon, mais cherchant au contraire à lui faire la morale (remarquez comme elle le tance : « Je vous l'ai dit cent fois quand vous étiez petit », vers 1664), elle nourrit ses réponses de phrases toutes faites aux tournures impersonnelles (les exemples sont innombrables : examinez les vers 1659, 1670,1679-1680, etc.).

Comique par la stupéfaction et la fureur dans lesquelles sa réaction plonge Orgon, en outre. Jusqu'au vers 1667, Orgon, désarmé par les reparties de sa mère, ne peut lui opposer que des interrogations multiples et marquées par l'incrédulité. La stupeur laisse place ensuite à la fureur. Orgon répète stupidement et obstinément le verbe « voir » : le vers 1676 n'en compte pas moins de trois occurrences ! À ce vocabulaire de la vue, Madame Pernelle oppose systématiquement le champ lexical de l'apparence et de la vision trompeuse.

Comique par le fait qu'elle confronte Orgon à lui-même, encore. En effet, l'obstination bornée de Madame Pernelle n'est pas sans rappeler celle que manifestait Orgon avant d'être désabusé : Orgon se heurte en quelque sorte à un autre lui-même, à un double anachronique. Le nouvel Orgon se trouve confronté à l'ancien Orgon, toujours entiché de son Tartuffe, ce que lui fait remarquer Dorine par cette remarque acide (vers 1695-1696 : « Juste retour, Monsieur, des choses d'ici-bas : / Vous ne vouliez point croire, et l'on ne vous croit pas »). Comme Orgon à l'acte IV, Madame Pernelle attend que la noirceur de Tartuffe lui crève les yeux ! Entendre la vérité ne lui suffit pas.

Comique enfin, par le savoureux renversement de situation que ce dialogue permet : Orgon, que nul ne pouvait convaincre, ne parvient pas à son tour à convaincre sa mère et leur échange de répliques ressemble à un véritable dialogue de sourds.

« Ce Monsieur Loyal porte un air bien déloyal ! » (v. 1772)

Malgré la forte tension dramatique suscitée par l'urgence de la situation, les trois premières scènes ne sont pas dénuées de dimension comique. L'arrivée inattendue de Monsieur Loyal va provoquer

un regain de tension et d'inquiétude au se
Son intervention manifeste la mise à exécu
rée par Tartuffe à la fin de l'acte IV. L'hu
pour rôle de chasser Orgon et sa famille p
devenu, grâce à la donation, le « maître et seigneur »
la totalité des biens familiaux.

Un réseau d'hypocrites – Comment Monsieur Loyal intervient
Ses premières paroles sont destinées à Dorine : il s'adresse à elle en l'appelant « ma chère sœur » (vers 1717), formule pieuse que seuls les dévots emploient (et qui n'est ordinairement réservée qu'aux religieuses). Cette expression, du reste, évoque immédiatement la façon dont Tartuffe et Orgon se désignaient : ils se donnaient abondamment du « cher frère » (voyez les vers 1074, 1161, entre autres). Les premières paroles prononcées par Monsieur Loyal le rangent par conséquent immédiatement dans la catégorie des hypocrites.

Le personnage de Monsieur Loyal pointe le fait que les hypocrites n'appartiennent pas seulement à la sphère religieuse mais ont pénétré et gangrènent les instances les plus proches du pouvoir. Il symbolise ainsi l'infiltration des hypocrites dans tous les milieux et signale que ces imposteurs ont notamment investi la sphère judiciaire. Les hypocrites se sont constitués en réseau : il existe bien une cabale* des hypocrites, une cabale* des Tartuffes, ainsi que Cléante l'affirmait au vers 1705. Auxiliaire de Tartuffe, puisqu'il défend ses intérêts, même si ceux-ci sont en contradiction totale avec la morale, l'huissier à verge apparaît également comme un avatar de Tartuffe. Plus encore, il apparaît comme un autre Tartuffe. De la même façon que Tartuffe commettait des actes immoraux au nom du « Ciel » (acte III scène 3 et acte IV scène 5), Monsieur Loyal vient commettre l'injustice au nom de la loi.

Il faut donc envisager Monsieur Loyal comme un double de Tartuffe. Certes, Tartuffe est absent de la scène, mais il est représenté avec force et efficacité par Monsieur Loyal. Le spectateur a l'impression de voir un uffe, portant un masque identique et présentant la même té. Par ailleurs, la présence de Monsieur Loyal à la scène 4 re le retour sur scène de Tartuffe avant le dénouement*.

typologie de l'hypocrite – Le personnage de Monsieur Loyal ermet de mieux cerner le type* et le comportement de l'hypocrite, et de répondre à la question : Comment reconnaître un hypocrite ? Monsieur Loyal se distingue essentiellement par sa flatterie doucereuse : il se présente comme un personnage inquiétant et fuyant puisque toutes les menaces qu'il profère sont prononcées sur un ton mielleux. Tous ses propos sont enrobés d'une apparence de dévotion* et de charité chrétienne. Il n'invoquera pas moins de trois fois le Ciel au cours de la scène. Et si les deux premiers vœux peuvent se justifier, la dernière formule (au vers 1809) témoigne d'une perversité et d'un cynisme odieux. Le masque de l'intention chrétienne a bien du mal à dissimuler la noirceur de tels individus.

Impuissants mais unis

Dans cette scène et la suivante, tous les membres de la famille d'Orgon réagissent en fonction de Monsieur Loyal. Ils expriment tous la même impuissance. Et cette impuissance se manifeste notamment dans l'expression du désir de recourir à la violence physique, seule capable de répondre à la violence sournoise et perfide de Monsieur Loyal, dissimulée derrière la légalité et des paroles doucereuses. Par ailleurs, ce recours au bâton appartient à la tradition de la comédie* et de la farce* qui se moque fréquemment de cette profession et ridiculise ses représentants.

L'intervention de Monsieur Loyal permet en tout cas à tous les protagonistes d'être réunis autour d'Orgon pour affronter l'adversité. Sans exception cette fois. À l'issue de la scène avec Monsieur Loyal, Madame Pernelle est elle aussi « détartuffiée ». L'expression qu'elle emploie au début de la scène 5 (« Je suis toute ébaubie et je tombe des nues ! ») n'est pas sans rappeler celle d'Orgon à la scène 6 de l'acte IV (« Je n'en puis revenir, et tout ceci m'assomme », vers 1530). Elle constitue l'un des rares éléments comiques de la deuxième partie de l'acte final. La division et la discorde qui règnent au lever de rideau ont ainsi fait place à l'union et à l'unité familiales enfin restaurées et cela n'est point sans annoncer en creux la restauration de l'ordre social que l'intervention royale va permettre.

Un dénouement providentiel

Les règles de la dramaturgie classique exigent un dénouement « nécessaire, complet et rapide ».

Un dénouement nécessaire...
Réclamer un dénouement* nécessaire signifie que le hasard doit en être banni. Aucun élément extérieur ne doit intervenir : « Le dénouement* de la pièce est tiré du fond même de la pièce », précise Racine.

Or, dans *Le Tartuffe*, le dénouement* est rendu possible par l'intervention d'une instance extérieure à la pièce, le roi, représenté par un officier royal. L'arrivée de l'Exempt constitue donc une **intervention merveilleuse**, seule capable de déjouer la fausse dévotion* et de sauver Orgon et sa famille des multiples dangers qui les guettent. Loin d'être nécessaire (au sens que l'on vient d'évoquer), cette intervention royale présente au contraire un caractère artificiel, voire invraisemblable, que les contemporains de Molière, notamment le poète Boileau, n'ont pas manqué de souligner et que certains critiques condamnent encore aujourd'hui. L'arrivée imprévisible, presque miraculeuse, du roi rappelle le procédé antique du *deus ex machina*, littéralement « le dieu qui sort de la machine ». Que se passait-il ? Un dieu (ou tout autre personnage puissant), porté par une machine (généralement un char), descendait soudainement sur

la scène afin de lever les différents obstacles et de permettre ainsi la résolution de l'intrigue*. C'est exactement ce qui se passe dans *Le Tartuffe* : le dénouement* n'obéit à aucune détermination interne ; l'intervention d'un personnage extérieur, qui n'appartient pas au nœud de la pièce, apparaît providentielle.

... car logique – Pour autant, ce dénouement* apparaît tout à fait logique au regard de la situation. Seul le pouvoir du roi, en effet, est en mesure de s'opposer au pouvoir de la justice et d'empêcher l'ascension des hypocrites. Molière le précise dans sa préface : « Si l'emploi de la comédie* est de corriger les vices des hommes, je ne vois pas pourquoi il y en aura de privilégiés. Celui-ci [le vice de l'hypocrisie] est, dans l'État, d'une conséquence bien plus dangereuse que tous les autres. » Le danger devient politique et dépasse le cas particulier d'Orgon : il exige par conséquent une intervention du pouvoir royal.

... complet...

Un dénouement* complet signifie que la résolution du conflit doit être définitive. Le dénouement* doit régler le sort de tous les personnages importants impliqués dans l'action : cela explique que tous les protagonistes soient réunis et justifie leur présence sur scène. L'intervention royale permet la résolution de l'intrigue* : l'ordre initialement perturbé est enfin retrouvé. Orgon est rétabli dans ses biens et dans ses droits. Plus aucun obstacle ne peut désormais empêcher le mariage de Mariane et Valère. Le spectateur en déduit d'ailleurs que ce mariage va précéder celui de Damis et de la sœur de Valère que Damis avait évoqué au premier acte.

Le dénouement* du *Tartuffe* présente un type de dénouement* tout à fait conforme à la tradition de la comédie* : la pièce se termine en montrant un personnage antipathique qui, faisant obstacle au bonheur des jeunes amants, doit s'effacer pour que ces derniers puissent être heureux (regardez Arnolphe dans *L'École des femmes* ou Harpagon dans *L'Avare*).

... et rapide

Enfin, le dramaturge doit faire en sorte que le dénouement* intervienne le plus tardivement possible, afin de porter l'impatience et la curiosité du spectateur à son comble. Dans le même temps, une fois enclenché, le dénouement* doit être rapide, afin de satisfaire cette impatience. Molière a parfaitement respecté et appliqué cette dernière règle.

Le dénouement* du *Tartuffe* est exemplaire dans la mesure où il est retardé jusqu'au dernier moment. Il n'intervient qu'au vers 1901, lorsque l'Exempt exhorte Tartuffe à le suivre. Le dénouement* se caractérise par un retournement inattendu, véritable coup de théâtre*, qui marque l'effondrement de Tartuffe alors que tous s'attendaient à son triomphe. Dénouement* *in extremis* donc. Notons en outre que le dernier moment de la pièce occupe seulement les deux derniers tiers de la scène finale, autrement dit une soixantaine de vers au plus. Le dénouement* se réduit en quelque sorte à la tirade de l'Exempt. La scène (et la pièce) se termine ensuite rapidement, avec le soulagement de l'ensemble des protagonistes. L'euphorie succède à l'angoisse qui avait plané sur l'ensemble du dernier acte : tous se félicitent de cette issue heureuse et Orgon annonce le mariage de Mariane et Valère.

La tirade de l'Exempt

L'intervention de l'Exempt signe la défaite ultime et définitive du faux dévot. Il faut la mettre en parallèle avec les vers de Cléante à la scène 2 (vers 1640-1641) :

> **Nous vivons sous un règne et sommes dans un temps**
> **Où par la violence on fait mal ses affaires.**

Elle s'ouvre d'ailleurs de façon identique (vers 1906) :

> **Nous vivons sous un Prince ennemi de la fraude**

Des problèmes de mise en scène

Cette tirade de l'Exempt, jugée trop longue, parfois artificielle et maladroite, fut souvent considérée comme une pièce rapportée, écrite hâtivement par Molière, qui ralentissait inutilement l'action. Pour cette raison, elle a fréquemment été tronquée : tous les passages qui ne concernaient pas l'intrigue* en elle-même (c'est-à-dire l'arrestation de Tartuffe), mais au contraire qui touchaient le Prince et en faisaient l'éloge, ont été supprimés... du vivant même de Molière !

Pour éviter cette altération du texte d'origine, certains metteurs en scène ont opté pour la solution suivante : ils ont scindé la tirade en plusieurs répliques successives, prononcées par des personnages différents. Ce n'est plus alors un, mais deux, voire trois Exempts qui interviennent et représentent le pouvoir royal. Ce découpage, qui s'apparente à un compromis assez judicieux entre la suppression pure et simple de certains passages du texte et une fidélité au texte moliéresque qui risque d'ennuyer le spectateur, permet en outre d'insister sur la progression de la tirade et de varier les tons et les voix. C'est le procédé choisi par le metteur en scène Jean-Marie Villégier, qui a monté *Le Tartuffe* à l'automne 1999 à l'Athénée Théâtre Louis-Jouvet à Paris (comme Molière d'ailleurs, il interpréta Orgon). Pour insister sur l'aspect atemporel de la pièce, il a choisi de transposer l'intrigue* pendant la Seconde Guerre mondiale : le rôle de l'Exempt est alors tenu par des soldats des F.F.I. qui représentent la France libre incarnée par le général de Gaulle.

Tartuffe confondu

Dans cette ultime scène, Tartuffe a changé de masque : il ne se réclame plus du Ciel, mais du roi. Remarquez que, une fois encore, c'est Cléante qui prend Tartuffe en défaut et le confronte à son hypocrisie et à la distorsion entre ses paroles et ses actes. Mais, de la même façon que Tartuffe s'était dérobé et avait prétexté l'heure des

Le Tartuffe transposé par Jean-Marie Villégier en 1999. Retrouvez-vous la scène ainsi actualisée ? Qui représentent, selon vous, ces deux personnages ?

vêpres pour ne pas affronter Cléante à la première scène de l'acte IV, Tartuffe, ici, ne peut rien opposer au bon sens de l'honnête homme et se retourne vers l'Exempt, pour précipiter l'arrestation d'Orgon et parachever sa victoire. Sa réponse violente qui révèle de nouveau sa noirceur le cède bientôt à la stupéfaction. L'Exempt est venu pour l'arrêter, lui, devant celui qu'il a abusivement trompé. Tartuffe, enfin, est confondu : sa défaite est consommée…

Ariane Mnouchkine relit *Le Tartuffe* pour le Festival d'Avignon en 1995. Où le situe-t-elle ? Quels problèmes contemporains pensez-vous qu'elle soulève ?

à vous...

1 – De quelle autre scène pouvez-vous rapprocher la scène 1 de l'acte V ? Analysez-en les points communs et les différences. Quel est le procédé utilisé par Molière ? Montrez comment un tel procédé participe de la dimension comique de la scène.

2 – Quelle valeur accorder aux deux derniers vers prononcés par Cléante (vers 1640-1641) ? Qu'annoncent-ils ? Justifiez leur place dans la scène et dans l'acte.

3 – Étudiez le vocabulaire et la structure des répliques d'Orgon dans les scènes 1 et 3. Que constatez-vous ?

4 – Selon vous, sur quel ton Orgon prononce-t-il le vers 1821? Est-ce le seul possible?

5 – Au regard du dénouement* et de ses effets, que signifient, selon vous, le retour sur scène de Valère et sa présence dans la scène finale?

Sur la scène 7

6 – Quel est le principal procédé qui, dans cette dernière scène, indique que le dénouement* est tout aussi inattendu et spectaculaire pour les protagonistes que pour le spectateur ou le lecteur?

7 – Analysez la tirade de l'Exempt. Comment est-elle construite? Quels en sont les principaux mouvements? Quels champs lexicaux mobilise-t-elle principalement?

8 – Quelle image du prince propose cette tirade? À quel personnage s'oppose-t-elle?

9 – Pourquoi, selon vous, la dernière réplique est-elle laissée à Orgon? En quoi est-ce une indication précieuse sur l'importance de ce personnage sur le plan dramatique?

10 – Par quel mot se termine la pièce? Commentez.

Bilans

Résumé

Acte I

Dans la maison d'Orgon, riche bourgeois parisien, éclate une querelle entre Madame Pernelle et les autres membres de la famille. La mère d'Orgon condamne le comportement de tous, femme, enfants, servante… et leur oppose l'exemple de Tartuffe, qu'Orgon a recueilli. Tous s'offusquent, qui ne voient en lui qu'un hypocrite et un faux dévot qui abuse de la naïveté d'Orgon. Furieuse, Madame Pernelle s'en va (scène 1). La servante Dorine, restée seule avec Cléante, beau-frère d'Orgon, lui relate l'aveuglement de ce dernier : il voue une admiration sans borne à son nouveau directeur de conscience* (scène 2). Elmire, seconde femme d'Orgon, annonce son arrivée ; Damis prie Cléante d'intercéder en faveur du mariage de sa sœur Mariane avec Valère : il soupçonne en effet Tartuffe de vouloir s'y opposer (scène 3). De retour de voyage, Orgon s'enquiert exclusivement de la santé de Tartuffe, et reste totalement indifférent au récit que lui fait Dorine de l'indisposition d'Elmire (scène 4). Cléante s'étonne d'une telle réaction et d'un tel engouement pour Tartuffe. Il tente de le convaincre qu'une dévotion* aussi ostentatoire est nécessairement suspecte. En vain. Lorsque Cléante évoque le mariage de Mariane et Valère, Orgon reste évasif (scène 5).

Acte II

Orgon a en effet modifié ses projets : il annonce à Mariane qu'il a finalement décidé de l'unir à Tartuffe. La jeune fille en reste stupéfaite (scène 1). Dorine intervient et s'indigne de ce projet avec une force telle qu'elle met Orgon dans une vive colère (scène 2). Une fois seule, la servante invite énergiquement sa jeune maîtresse à s'opposer à un tel mariage et à manifester plus de résistance (scène 3). Valère, qui vient d'apprendre la nouvelle, arrive alarmé. Un malentendu, qui se transforme en scène de dépit amoureux, s'installe entre les jeunes amants. Dorine les réconcilie et leur suggère de rechercher le soutien d'Elmire (scène 4).

Acte III

Dorine tente d'apaiser Damis, furieux de la décision d'Orgon : il faut laisser agir Elmire. Tartuffe entre : Damis se retire précipitamment (scène 1). Le faux dévot reproche à Dorine ses décolletés outranciers. Elle se moque de lui et lui annonce qu'Elmire veut le rencontrer (scène 2). Seul avec cette dernière, Tartuffe lui avoue son désir et lui fait une cour empressée. Elmire lui propose alors un marché : elle gardera le silence sur cette déclaration amoureuse si Tartuffe renonce à son mariage avec Mariane et favorise au contraire l'union de cette dernière avec Valère (scène 3). Damis, dissimulé dans un cabinet, intervient brusquement et décide de tout révéler à Orgon malgré la réprobation d'Elmire (scène 4). Orgon arrive à propos; Elmire se retire (scène 5). Tartuffe parvient à convaincre Orgon de son innocence. Damis est chassé et déshérité; Tartuffe épousera Mariane sans délai (scène 6). À l'insu de tous, Orgon lègue à Tartuffe tous ses biens (scène 7).

Acte IV

Cléante presse Tartuffe d'appliquer les principes chrétiens qu'il affiche : il doit réconcilier Orgon et Damis, renoncer au mariage avec

Mariane et refuser la donation. Tartuffe le quitte brusquement (scène 1). Dorine, accompagnée de Mariane et d'Elmire, invite Cléante à se joindre à elles (scène 2) pour supplier Orgon de revenir sur sa décision. Devant l'entêtement de son mari, Elmire décide de lui montrer la fourberie de Tartuffe, lors d'un second entretien avec l'hypocrite auquel il assistera. Orgon la prend au mot (scène 3). Elmire le force alors à se dissimuler sous une table (scène 4). Tartuffe tombe effectivement dans le piège que lui tend Elmire : il lui avoue sa flamme... mais exige des preuves tangibles de l'amour qu'Elmire vient de lui avouer. Afin de différer ce moment, Elmire lui demande de vérifier que personne ne les surprendra (scène 5). Orgon sort de sa cachette, « assommé » par ce qu'il vient d'entendre et enfin désabusé (scène 6). Lorsque Tartuffe revient, Orgon veut le chasser. Tartuffe, devenu maître des biens d'Orgon, refuse et intime à son tour l'ordre à Orgon de quitter les lieux (scène 7). À Elmire stupéfaite, Orgon avoue la donation et évoque une inquiétante cassette (scène 8).

Acte V

Orgon, affolé, explique à Cléante le danger que représente cette cassette (scène 1). Damis revient, prêt à secourir son père et à châtier l'imposteur (scène 2). Toute la famille se rassemble autour d'Orgon. Madame Pernelle, malgré les affirmations de son fils, refuse de croire à l'hypocrisie de Tartuffe (scène 3). L'arrivée de Monsieur Loyal, huissier de justice, qui signifie à Orgon son ordre d'expulsion (scène 4), détrompe finalement Madame Pernelle (scène 5). Valère apporte une nouvelle plus inquiétante encore : Tartuffe a livré la cassette au roi. Orgon doit fuir immédiatement (scène 6). Il n'en a guère le temps : Tartuffe réapparaît, accompagné d'un Exempt, chargé, croit-il, d'arrêter Orgon. Mais c'est Tartuffe qui est arrêté. Le roi a reconnu en lui un dangereux escroc; il annule la donation et pardonne à Orgon l'affaire de la cassette. Le mariage de Mariane et Valère peut être célébré (scène 7).

Pièce baroque...

Le Tartuffe a été composé et représenté par Molière à une période où le classicisme* se trouvait à son apogée (même si l'on a tendance à appliquer ce terme à l'ensemble du XVIIe siècle, il n'est véritablement pertinent que pour la période allant des années 1660 à 1680). Pour autant, *Le Tartuffe* conserve bien des traits de la période précédente qui accordait une grande place et une grande valeur à l'esthétique baroque*. **Une pièce de facture classique empreinte d'esprit baroque***, il semble bien que c'est ainsi qu'il faille envisager la comédie* que vous venez de lire et que vous étudiez.

Histoire d'un mot

Le terme « baroque* » est emprunté au portugais *barrocco* et désigne une « perle de forme irrégulière ». C'est d'ailleurs la définition que proposent les dictionnaires de l'époque, tels celui de Furetière ou celui de l'Académie française ; mais à l'âge classique, le mot a bien évidemment une connotation péjorative, c'est un terme de mépris. Puis ce terme en vient à qualifier tout ce qui était considéré comme « bizarre » ou « extravagant », c'est-à-dire en dehors des normes et des codes. Il reste encore aujourd'hui extrêmement difficile de cerner le style ou l'esthétique baroques* français et, par commodité, on a plutôt tendance à le définir par rapport au classicisme*, qu'il précède chronologiquement, et par opposition à lui (le classicisme* étant considéré comme la stricte ordonnance dominée et symbolisée par la raison, la mesure et l'harmonie). Le baroque* se caractérise alors par une **exubérance de l'imagination et du style**.

Issu de la Contre-Réforme et du concile de Trente, le style baroque* a connu en Europe un grand succès dans la période allant des années 1570 à 1760. En France, il concerne plutôt le premier XVIIe siècle et a dominé en littérature dans les années 1630 à 1640. Conçue comme une libération, l'esthétique baroque* se débarrasse des contraintes et des règles héritées de l'Antiquité ; elle cultive au contraire le mélange des styles et des genres (cela se manifeste, en France, par la vogue des tragi-comédies).

Le baroque* se fixe donc pour objectif de révéler l'inconstance du monde, son aspect protéiforme (le dieu mythologique Protée est d'ailleurs l'emblème le plus éclatant de cette esthétique) et ses incessantes métamorphoses. Insistant sur l'aspect fuyant et fugitif de la réalité, le baroque* développe une esthétique dans laquelle le monde (les choses comme les êtres) ne peut se saisir en lui-même ; tout n'y est qu'illusion et apparence.

L'hypocrisie, un thème baroque

Le thème même développé dans *Le Tartuffe*, l'imposture d'un individu portant le masque de la dévotion*, fait basculer la pièce dans le baroque*, puisqu'elle la plonge dans le monde de l'illusion et de l'apparence. Toute la structure de la pièce tourne autour de ce thème du masque et des ravages que la présence d'un parasite, exhibant une dévotion* au service de ses appétits les plus prosaïques, provoque dans la maison d'Orgon. L'ordre ne sera rétabli que lorsque la fourberie de Tartuffe (son être) éclatera au grand jour. *Le Tartuffe* met donc bien en scène un thème baroque*, celui de l'hypocrisie, c'est-à-dire cette contradiction, cette aporie entre l'être et le paraître.

Le personnage de Tartuffe avance masqué tout au long de la pièce : il est en constante représentation et ses adversaires n'ont de cesse de le démasquer. Comment ? En retournant contre lui ses propres armes, en le faisant tomber à son tour dans le piège de l'illusion et de l'apparence.

Gravure anonyme représentant la levée du masque. Vous pouvez relever les éléments graphiques qui manifestent la différence entre l'être et le paraître.

Le recours à la ruse – L'imposture de Tartuffe s'avère contagieuse ! Elle atteint tous les personnages et devient l'unique moyen de faire jaillir la vérité. L'imposture devient une ruse qui consiste à mettre l'illusion et le mensonge au service de la vérité et de l'honnêteté. C'est à cette ruse qu'Elmire a recours pour désabuser Orgon : elle se voit contrainte de jouer les femmes malhonnêtes et de feindre pour Tartuffe un amour qu'elle ne lui porte pas. Cependant Elmire n'est pas le seul personnage à mobiliser cet artifice pour faire tomber l'imposteur. Même le roi s'y met ! Le roi lui-même, par l'intermédiaire de son représentant, l'Exempt, a trompé Tartuffe et l'a bercé d'illusions en lui faisant croire qu'il entendait sa requête et en feignant d'y accéder. Remarquez comment s'exprime l'Exempt aux vers 1929 à 1932 :

> **À ses autres horreurs il a joint cette suite,**
> **Et ne m'a jusqu'ici soumis à sa conduite**
> **Que pour voir l'impudence aller jusques au bout,**
> **Et vous faire par lui faire raison de tout.**

Le jeu sur l'être et le paraître – Dans cette pièce, Tartuffe n'est pas le seul à porter un masque. Dans cette situation paradoxale où « l'apparence se révèle comme le seul moyen de montrer la vérité » (J. Serroy), tous s'adonnent aux jeux trompeurs de l'illusion et de la vérité, de l'apparence et de la réalité. Elmire, pour faire éclater (aux deux sens du terme, montrer et pulvériser) le masque de Tartuffe, doit se résoudre à en porter un. Elle se transforme alors en comédienne et joue à Tartuffe la comédie de l'amour précieux. Le prince s'est également mis à jouer la comédie à Tartuffe et le silence prolongé de l'Exempt ne s'explique qu'ainsi. Ce recours au masque s'avère nécessaire et efficace : ce sont le mensonge et la feinte qui triomphent de l'imposteur et de l'hypocrite. L'illusion désillusionne. Le masque démasque.

Le théâtre dans le théâtre – Dans cet univers de l'illusion et de la feinte, dans lequel l'être doit se déguiser pour faire jaillir la vérité, les protagonistes jouent, ou bien se jouent la comédie* : autrement dit, l'espace d'un instant, ils jouent un rôle, incarnent un personnage, deviennent à leur tour des hypocrites (au sens étymologique du terme, c'est-à-dire des acteurs).

Cette métamorphose provisoire impose, pour que cette transformation ait un sens, que d'autres personnages à leur tour deviennent le temps de cette illusion – le temps de cette représentation – des spectateurs. Ce procédé est celui du théâtre dans le théâtre : le théâtre met en scène des acteurs qui jouent des personnages qui jouent eux-mêmes un rôle devant d'autres acteurs qui jouent aussi des personnages devenant les spectateurs de ce second spectacle sur la scène (*L'Illusion comique* de Corneille reste l'illustration la plus éclatante et la plus élaborée de ce procédé). Il s'agit donc d'une représentation au deuxième degré, d'une « mise en abyme » en quelque sorte. C'est bien ce qui se passe dans la scène 5 de l'acte IV : Orgon assiste en spectateur (dissimulé certes, il conviendrait plutôt de parler d'auditeur) à une représentation que lui propose Elmire et qu'elle a montée pour lui seul. Le langage lui-même devient source d'illusion puisque les propos que tient Elmire à Tartuffe dans cette même scène sont en fait destinés à un autre, à Orgon caché sous la table.

La scène de dépit amoureux entre Mariane et Valère peut également s'apparenter à ce procédé du théâtre dans le théâtre : les deux amants se jouent la comédie*... devant Dorine; mauvais comédiens toutefois, leurs gestes trahissent leurs paroles; comédiens malgré eux surtout, puisque toute cette scène est le fruit d'un malentendu.

Le recours à la dissimulation

Autre thème baroque* dans *Le Tartuffe*, celui de la dissimulation, c'est-à-dire de la présence cachée et insoupçonnée. Il se manifeste à trois moments dans la pièce : lorsque Dorine espionne derrière la porte à l'acte II, scène 1 ; lorsque Damis se cache dans un cabinet à l'acte III, scène 3 ; lorsque Orgon disparaît provisoirement sous une table à l'acte IV scène 5. Toutes ces dissimulations provoquent une révélation. Ces feintes successives vont systématiquement avoir des conséquences sur le déroulement de l'intrigue* : la gradation dans la dissimulation (d'abord une servante, ensuite le fils, enfin le maître de maison) se répercute dans la gradation des conséquences qu'elle engendre (une querelle maître-domestique, l'aveuglement d'Orgon, son désabusement).

La surprise finale

Le dénouement*, enfin, emprunte son esthétique au baroque*, puisqu'il reprend le procédé du *deus ex machina*, propre aux pièces à machines. C'est d'ailleurs l'aspect artificiel et merveilleux de ce dénouement* (l'apparition miraculeuse du roi) qui a été condamné au nom du principe classique de la vraisemblance.

La pièce, qui se construit sur le thème de l'illusion et de l'apparence, propose par conséquent une réflexion sur le déguisement, la métamorphose, la confusion (Orgon prend les apparences pour la réalité elle-même) : ces thèmes baroques* jaillissent de manière d'autant plus éclatante que la pièce est construite selon les règles les plus strictes de l'esthétique et de la doctrine classiques.

... dans le respect des règles classiques

De Charybde en Scylla

Les éléments et les événements qui permettent à l'action d'avancer et qui constituent l'intrigue* sont agencés de manière rigoureuse et progressive : de l'exposition* (situation initiale) au dénouement* (situation finale), le conflit dramatique progresse de façon continue et la tension dramatique ne cesse de croître.

De grands bouleversements ont eu lieu tout au long de la pièce, et plus encore aux actes IV et V. Peut-être avez-vous déjà remarqué que les différents périls qui guettaient la famille d'Orgon étaient de nature différente. Il est ainsi possible de les ranger en trois catégories. Distinguons tout d'abord les **périls sentimentaux** : ils sont au nombre de deux et menacent, dans l'ordre, Mariane et Elmire. Le premier péril sentimental concerne le mariage entre Mariane et Tartuffe qu'Orgon veut imposer; le second péril touche Elmire (c'est la tentative de séduction de Tartuffe), et à travers Elmire, c'est l'intégrité du couple Elmire-Orgon qui se trouve menacée. Ces périls sentimentaux sont suivis d'un **péril financier**, provoqué par la donation d'Orgon à Tartuffe. Enfin, la cassette qu'Orgon confie à Tartuffe précipite l'intrigue* dans un **péril politique**.

Un engrenage soigneusement construit

Ces périls se succèdent, selon une progression rigoureuse et une gradation en trois temps. Dans un premier temps, les périls se superposent les uns aux autres; dans un deuxième temps, un nouveau péril chasse les deux précédents; dans un troisième temps enfin, de nouveau les périls s'accumulent. Chaque tentative pour dissiper un péril en entraîne un autre, plus grave encore... sans avoir seulement permis d'échapper au péril précédent.

Jusqu'à la seconde entrevue entre Elmire et Tartuffe en effet, les périls s'additionnent : Elmire, en tentant de convaincre Tartuffe de renoncer au mariage projeté par Orgon, provoque le deuxième péril la concernant. Damis, en cherchant à surmonter ces deux premiers périls, provoque un péril d'une nouvelle nature : Orgon, après avoir chassé son propre fils, se dépouille de ses biens au profit de Tartuffe. Au début de l'acte IV, aucun de ces périls n'est levé, ils se sont au contraire agrégés les uns aux autres, par une espèce d'effet « boule de neige ».

La seconde entrevue entre Elmire et Tartuffe, par le désabusement d'Orgon qu'elle entraîne, brise ce procédé d'accumulation : les premiers périls sont effacés, mais les nouveaux périls apparaissent pires encore ! Certes, le mariage entre Mariane et Tartuffe est définitivement abandonné, certes Elmire n'a plus rien à craindre de Tartuffe, certes Damis n'est plus banni (son retour auprès de son père en constitue bien la preuve)... mais la famille d'Orgon se trouve dessaisie de tous ses biens et Orgon lui-même court un grand danger pour avoir confié à Tartuffe des papiers compromettants.

Les périls se succèdent et s'additionnent donc. Surtout ils s'aggravent : pour un spectateur contemporain de Molière, il est incontestablement plus scandaleux de voir la vertu d'une femme mariée menacée (second péril sentimental) que de voir un père contraindre sa fille à épouser un homme qu'elle n'aime pas (premier péril sentimental). Par ailleurs, mieux vaut être dépouillé de ses biens (péril financier) qu'aller en prison (péril politique) !

Enfin, chacune de ces menaces est, à un moment donné, sur le point d'être mise à exécution, par conséquent de se concrétiser. Orgon brandit le contrat de mariage devant unir Mariane à Tartuffe (acte IV), Tartuffe exige d'Elmire des preuves tangibles de ses protestations d'amour (acte IV), Monsieur Loyal intervient pour permettre à Tartuffe de jouir de sa donation (acte V), l'entrée en scène précipitée de Valère, et celle, plus solennelle, de l'Exempt attestent la réalisation imminente du péril politique (acte V).

L'intrigue* va donc de péril en péril, avant le dénouement* heureux. Cette technique classique d'enchaînement des périls et de gradation dans la gravité des périls rencontrés s'appelle la technique de l'engrenage.

Retour sur la règle des trois unités

Examiner la composition du *Tartuffe*, afin de déterminer si la pièce répond bien aux normes classiques, impose également d'observer que la règle des trois unités* a bien été observée dans l'ensemble de la pièce.

Toute l'action se déroule dans un lieu unique, la maison d'Orgon ; en ce sens, l'unité de lieu est bien respectée.

L'unité de temps l'est également, au prix de quelques incohérences et précipitations toutefois. De nombreux indices semés tout au long de la pièce permettent de situer avec précision le moment de l'action. Ainsi, au début du quatrième acte, Tartuffe interrompt brutalement son entretien avec Cléante, prétextant l'heure (« Il est, Monsieur, trois heures et demie », vers 1266) et « certain devoir pieux » (vers 1267) : c'est effectivement le moment de réciter les vêpres. Cette précision justifie la hâte que manifeste Orgon à accomplir toutes ses décisions : il veut unir Mariane et Tartuffe le soir même («dès ce soir», vers 1128), va «de ce pas» faire la donation à Tartuffe (vers 1177), etc. Cet empressement, assez surprenant, s'explique doublement. Par les conventions dramatiques d'une part : Molière tient à ce que l'action se déroule en moins de vingt-quatre heures. Par le caractère d'Orgon, d'autre part : cet empressement confirme l'autoritarisme d'Orgon ainsi que les effets de sa colère et atteste que ses exigences ressemblent plutôt à des caprices. Le dernier acte confirme enfin que l'unité de temps est bien respectée : l'acte du dénouement* se situe bien avant la nuit puisque Monsieur Loyal parle d'elle au futur («Je viendrai seulement passer ici la nuit», vers 1783).

L'unité d'action paraît plus contestable et fait l'objet de multiples interrogations et de multiples critiques. On pourrait d'abord estimer que puisque l'action ne consiste pas en un péril unique (qui serait celui, traditionnel, des amours contrariées par la volonté d'un père), mais en une succession de périls, l'unité d'action n'est pas respectée. Or, tous ces périls sont reliés les uns aux autres, ainsi que nous l'avons vu précédemment : ils sont provoqués par un même élément perturbateur et parasite, Tartuffe, qui cherche à étendre démesurément son pouvoir et à assouvir tous ses appétits. La technique de l'engrenage déployée par Molière assure l'unité d'action de la pièce fondée sur une perturbation unique.

Structure interne de la pièce

La structure externe du *Tartuffe* fait de cette pièce le «chef-d'œuvre de la comédie classique». L'examen de sa composition interne révèle en outre qu'elle est l'une des plus élaborées et des plus travaillées qui soit et met en lumière la spécificité de sa construction.

Le découpage de la pièce

La pièce est divisée en cinq actes, ce qui la hausse au rang des « grandes comédies* ».

Nombre d'actes, nombres de scènes – À quoi correspond une scène ? La subdivision d'un acte en scènes est déterminée par l'entrée ou bien la sortie d'un personnage, ce qui signifie que plus un acte comporte de scènes, plus on note d'entrées et de sorties de personnages. En d'autres termes, plus un acte est découpé, plus il est dynamique et mouvementé.

Qu'en est-il pour la pièce qui nous occupe ? Le premier acte compte 5 scènes, le deuxième 4, le troisième 7, le quatrième 8 et le cinquième 7. L'acte qui contient le plus grand nombre de scènes est le quatrième, ce qui semble tout à fait logique et attendu puisque c'est l'acte qui fait jaillir la catastrophe*, c'est-à-dire l'ultime péripétie*, celle qui va déterminer le dénouement*.

« Par conséquent, ce quatrième acte est, conformément à la technique la plus classique, le plus animé, le plus dramatique peut-être de toute la pièce. »

J. Scherer

Il faut donc envisager ce quatrième acte comme l'acte central de la pièce, celui où la tension dramatique se trouve portée à son apogée. Crucial, décisif, il est encadré par les actes III et V qui comptent ensuite le plus grand (et le même) nombre de scènes.

Nombres de scènes, nombres de vers – Le tableau qui suit vous permet de repérer, de façon moins intuitive qu'à la lecture, le rythme de la pièce. Son analyse doit se faire en deux temps, tout d'abord la longueur d'un acte rapporté au nombre de scènes, ensuite le nombre de vers contenu dans chaque acte.

Acte	Nombre de scènes	Nombre de vers
I	5	426
II	4	396
III	7	362
IV	8	388
V	7	390

Ce tableau permet de constater que, dans une pièce de théâtre, plus le nombre de scènes est important, plus l'acte est rapide (cette observation reste valable pour les comédies* comme pour les tragédies). Pourtant, même si le nombre de scènes varie extrêmement (vous pouvez noter un rapport de 1 à 2 entre l'acte II et l'acte IV), le nombre de vers reste harmonieux (une soixantaine de vers sépare l'acte le plus court de l'acte le plus long) : la longueur d'un acte ne dépend pas du nombre de scènes qui le compose. Autrement dit, il n'y a pas de petit acte ; en revanche, il y a des actes dans lesquels il se passe plus ou moins de choses.

L'équilibre est ainsi respecté tandis qu'à l'intérieur de chaque acte, le nombre de scènes varie en fonction de la place de cet acte dans la structure dramatique.

Le tableau de présences

Nouveau tableau, nouvelle lecture de la pièce. La présence des personnages est signalée par le signe **X** (l'ordre de présentation des personnages reproduit celui de la liste des acteurs), entre parenthèses est précisé le nombre de vers qu'il prononce. Le signe **(X)** indique que le personnage est muet dans la scène : il est présent mais garde le silence. Le point informe de la présence cachée d'un personnage à l'insu des autres protagonistes et des spectateurs. Ce tableau permet de visualiser le jeu des entrées et des sorties des personnages, les moments où les personnages se rencontrent, les présences simultanées...

Acte/scène (nombre de vers)	Madame Pernelle	Orgon	Elmire	Damis	Mariane
I,1 (171)	**X** (32)		**X** (3)	**X** (11,5)	**X** (0,5)
I,2 (39)					
I,3 (13)			**X** (4)	**X** (6,5)	**(X)**
I,4 (35)		**X** (9)			
I,5 (168)		**X** (51,5)			
II,1 (30)		**X** (20)			**X** (10)
II,2 (128)		**X** (62)			**(X)**
II,3 (100)					**X** (36)
II,4 (138)					**X** (33)
III,1 (30)				**X** (8,5)	
III,2 (26)					
III,3 (142)			**X** (38,5)	●	
III,4 (34)			**X** (6)	**X** (28)	
III,5 (18)		**(X)**	**X** (6)	**X** (12)	
III,6 (68)		**X** (29)		**X** (6)	
III,7 (44)		**X** (19)			
IV,1 (84)					
IV,2 (7)			**(X)**		**(X)**
IV,3 (84)		**X** (25,5)	**X** (35)		**X** (21)
IV,4 (27)		**X** (3)	**X** (24)		
IV,5 (142)		**(X)**	**X** (86)		
IV,6 (10)		**X** (3)	**X** (7)		
IV,7 (26)		**X** (12,5)	**X** (2)		
IV,8 (8)		**X** (6,5)	**X** (1,5)		
V,1 (56)		**X** (21,5)			
V,2 (13)		**X** (1)		**X** (8)	
V,3 (75)	**X** (22)	**X** (34,5)	**X** (4,5)	**X** (1)	**(X)**
V,4 (94)	**(X)**	**X** (13,5)	**(X)**	**X** (4,5)	**(X)**
V,5 (16)	**X** (1)	**X** (4)	**X** (4)	**(X)**	**(X)**
V,6 (34)	**(X)**	**X** (5,5)	**(X)**	**(X)**	**(X)**
V,7 (102)	**(X)**	**X** (11,5)	**X** (1)	**X** (1)	**X** (2,5)
Total : 31 scènes et 1962 vers	**6 (55)**	**20 (332,5)**	**17 (222,5)**	**12 (87)**	**13 (103)**

Valère	Cléante	Tartuffe	Dorine	Monsieur Loyal	L'Exempt	Flipote
	X (10)		**X** (53)			**(X)**
	X (4)		**X** (35)			
	X (2)		**X** (0,5)			
	X (2)		**X** (24)			
	X (116,5)					
			X (66)			
			X (64)			
X (60)			**X** (45)			
			X (21,5)			
		X (12)	**X** (14)			
		X (103,5)				
		(X)				
		(X)				
		X (33)				
		X (25)				
	X (51)	**X** (33)				
	(X)		**X** (7)			
	X (1)		**X** (1,5)			
		X (56)				
		X (11,5)				
	X (34,5)					
	X (4)					
	X (11)		**X** (2,5)			
	X (6)		**X** (7)	**X** (63)		
	X (1)		**X** (6)			
X (25)	**X** (3,5)		**(X)**			
(X)	**X** (21)	**X** (18)	**X** (2)		**X** (45)	
3 (85)	**15 (267,5)**	**10 (292)**	**16 (349)**	**1 (63)**	**1 (45)**	**1**

Une importance quantitative révélatrice – La dernière ligne de ce tableau signale le nombre total de scènes dans lesquelles le personnage apparaît (qu'il intervienne ou non) et, entre parenthèses, le nombre de vers qu'il prononce durant toute la pièce. De quoi s'aperçoit-on à la lumière des renseignements que nous fournit cette dernière ligne ? Orgon est présent dans vingt scènes sur trente et une. Apparaît Elmire, ensuite, avec dix-sept scènes. Elmire et Orgon sont donc les deux personnages les plus présents sur scène. C'est bien la relation Elmire-Orgon qui se trouve au centre de la pièce dont le sujet est le désabusement d'Orgon, ce que l'analyse de la liste des acteurs avait déjà permis de constater.
Le rôle de la domesticité – Dorine est le personnage qui prononce le plus de vers dans la pièce. Autrement dit, elle est la plus bavarde : son rôle est d'ailleurs assez remarquablement développé avec seize scènes (elle est le troisième personnage le plus présent de la pièce). Pourquoi ? Dépositaire du comique, sa présence évite que la pièce ne bascule dans la tragédie, du moins dans le drame. Elle crée une connivence, instaure une complicité avec le spectateur, lui permettant de rire avec elle des autres personnages en en pointant le ridicule (Orgon), la faiblesse (Mariane) ou l'hypocrisie (Tartuffe, Monsieur Loyal). On le constate, l'importance quantitative est ici au service du projet moliéresque plus qu'au service de l'intrigue*.
Le personnage de Cléante – Cléante apparaît dans près de la moitié des scènes (quinze exactement). Sa présence, importante, est distribuée de la manière suivante. Sur scène pendant tout l'acte d'exposition*, il disparaît durant deux actes pour revenir au début du quatrième acte. Sa présence est constante pendant l'acte du dénouement*. Il est d'ailleurs, avec Orgon, le personnage omniprésent du dernier acte. Cette présence importante se justifie par le fait qu'il faut voir en Cléante le **porte-parole de Molière** : c'est lui qui professe toutes les opinions raisonnables (concernant la religion, la mesure en toutes choses, l'attitude indulgente à adopter devant Tar-

tuffe...). Il est également le seul personnage à opposer à Tartuffe des arguments raisonnables et raisonnés (acte IV, scène 1 ; acte V, scène 7). Enfin, dans le dernier acte, il a pour fonction de dispenser la morale : vous noterez qu'il est celui qui prononce l'avant-dernière réplique de la pièce. Modèle positif qui équilibre la critique de Tartuffe et d'Orgon, Cléante constitue donc un point de référence neutre auprès duquel tous les personnages apparaissent ridicules et sert de « pôle d'identification au spectateur » (Ferreyrolles).

L'omniprésence de Tartuffe, malgré tout – Pour autant, une telle analyse de la pièce se révèle insuffisante puisqu'on s'aperçoit que Tartuffe n'intervient que dans dix scènes : une lecture superficielle de ce tableau qui ne prendrait pas en compte les enjeux de la comédie* conduirait donc à avancer que Tartuffe est loin d'avoir un rôle capital dans l'intrigue*. Cela est faux. Tartuffe est le moteur de l'action : la réduction d'une pièce en chiffres ne dispense absolument pas d'une interprétation dynamique des personnages dans l'action. Si Tartuffe n'apparaît que dans dix scènes sur les trente et une que compte la pièce, il est en revanche constamment évoqué. Lorsque sa présence n'est pas physique, Tartuffe reste au centre des discussions, des actions, réactions, décisions des personnages. Littéralement, Tartuffe hante la scène. Son importance qualitative est liée à l'importance quantitative assumée par les autres personnages.

Une construction symétrique

Ce tableau ainsi que vos lectures, études et analyses permettent d'insister sur un autre aspect de la structure de la pièce : sa symétrie. Toute la pièce est construite sur un jeu rigoureux de répétitions, d'échos, de parallélismes et sur un principe d'alternance.

Distinction scènes de groupe et scènes d'idées – La pièce est construite autour de deux grands types de scène, les scènes de groupe, qui réunissent plus de cinq personnages, et les scènes d'idées qui permettent l'opposition et la confrontation de deux

conceptions différentes. Les scènes de groupe offrent la singularité d'ouvrir et de fermer la comédie* (acte I, scène 1 et acte V, scènes 3 à 7). Dans les dernières scènes de la pièce, l'effectif sur scène devient de plus en plus important : on ne compte pas moins de dix personnages sur la scène au moment du dénouement*. La scène 3 de l'acte IV, où Mariane, Cléante, Elmire et Dorine tentent d'infléchir Orgon, appartient également à ce type de scène.

Les scènes d'idées se caractérisent au contraire par le fait qu'elles ne réunissent que deux personnages sur la scène. Vous pouvez relever une scène d'idées par acte, à l'exception du deuxième acte entièrement axé sur le dépit amoureux et dont nous avons déjà signalé la particularité (on peut toutefois considérer que les deux conceptions du mariage qu'exposent et que s'opposent Dorine et Orgon apparentent la scène 2 de l'acte II à une scène d'idées...). La dernière scène du premier acte (Orgon-Cléante), le premier entretien entre Tartuffe et Elmire (Tartuffe y expose sa conception de l'amour et son platonisme douteux), la première scène de l'acte IV (Cléante-Tartuffe) et la première scène du dernier acte (Orgon-Cléante) forment par conséquent les scènes d'idées du *Tartuffe*. Vous remarquerez que les deux principaux « contradicteurs » de la pièce sont Tartuffe et Cléante : l'opposition entre les conceptions de la religion incarnées par ces deux personnages constitue un des enjeux de la comédie*.

D'une scène à l'autre – La symétrie se voit marquée par la circularité de la pièce : chaque scène a son pendant, son doublon, et la seconde présente toujours une situation inversée, en miroir, de la première. La scène 3 de l'acte V, par exemple, est le pendant de la scène d'exposition* ; les deux tête-à-tête entre Elmire et Tartuffe, aux scènes 3 de l'acte III et 5 de l'acte IV, sont parfaitement symétriques (la présence du témoin caché, le recours au masque, le problème de l'initiative... : reportez-vous donc à l'Arrêt sur lecture 4) ; les deux scènes d'idées entre Cléante et Orgon sont également construites sur le principe de la répétition.

D'un vers à l'autre – Ces effets de reprise et de répétition ne concernent pas seulement les scènes, mais surgissent également à l'intérieur des répliques. Au sein de la même scène, par exemple : ainsi, dans la première scène d'idées réunissant Orgon et Cléante, Orgon s'adresse de la sorte à Cléante (vers 346-347) :

> **Oui, vous êtes sans doute un docteur qu'on révère;**
> **Tout le savoir du monde est chez vous retiré.**

ce à quoi Cléante lui réplique (vers 351-352) :

> **Je ne suis point, mon frère, un docteur révéré,**
> **Et le savoir chez moi n'est pas tout retiré.**

D'un acte à l'autre, également : lorsque Dorine reproduit de façon sarcastique la savoureuse expression d'Orgon « Le pauvre homme ! », à la scène 3 de l'acte V. On retrouve le même procédé de répétition entre la réplique d'Orgon aux vers 278-279 :

> **Et je verrais mourir frère, enfants, mère et femme,**
> **Que je m'en soucierais autant que de cela.**

et celle de Tartuffe aux vers 1883-1884 :

> **Et je sacrifierais à de si puissants nœuds**
> **Ami, femme, parents, et moi-même avec eux.**

D'un personnage à l'autre – Cette symétrie est également marquée par les personnages : Orgon se voudrait le double de Tartuffe; Tartuffe trouve son double judiciaire en Monsieur Loyal; Orgon en Madame Pernelle. Cléante et Dorine, enfin, jouent le même rôle et remplissent tous deux la même fonction dans la structure dramatique : ils incarnent chacun à sa manière le bon sens mais leur bon sens se manifeste différemment parce que ces deux personnages appartiennent à des milieux sociaux distincts. Dorine représente la sagesse et le bon sens populaires, elle symbolise en quelque sorte la voix du parterre (au théâtre, à l'époque de Molière, là où se trouve le peuple) ; Cléante, quant à lui, représente l'honnête homme et la morale équilibrée, juste milieu entre la dévotion* qui bascule dans le fanatisme et le libertinage.

D'une intrusion à une intervention – Enfin, nous pouvons relever un dernier effet de symétrie qui réunit étonnamment Tartuffe... et le roi ! C'est, en effet, une intrusion extérieure (en l'occurrence Tartuffe) qui avait perturbé la situation initiale au début de la pièce ; c'est également l'intervention d'un élément extérieur (la personne du prince, représenté symboliquement par l'Exempt) qui restaurera l'ordre originel à la fin de la pièce. Autrement dit, la situation initiale apparaît comme un désordre provoqué par l'intrusion de Tartuffe dans la maison d'Orgon ; la situation finale qui se marque par un retour à l'ordre est rendue possible par le roi. Par ailleurs, si la perturbation de la situation par Tartuffe se fait en amont de l'intrigue*, c'est-à-dire avant le lever de rideau, c'est l'intervention du roi sur la scène qui permettra le dénouement* et le rétablissement de la situation antérieure à l'arrivée du parasite.

Des effets de miroir – La structure de la pièce se trouve reproduite à l'intérieur de la pièce même. Ainsi, la construction du premier acte correspond à la construction de la pièce entière et contient la structure de la comédie* classique : la quatrième scène est la plus importante, de la même façon que l'acte 4 est le sommet de la pièce. Enfin, l'euphorie qui clôt le deuxième acte annonce le dénouement* heureux de la pièce.

La leçon de politique

Il convient de revenir enfin sur le dénouement* et, surtout, sur l'intervention royale qui le rend possible et le provoque. Cette intrusion du politique dans l'espace de la comédie* confère incontestablement au *Tartuffe* une dimension symbolique particulière qu'il convient d'examiner. Cette dimension se manifeste doublement.

Signification politique de la pièce

Premier point : la pièce acquiert inévitablement, au regard de son dénouement*, une signification politique. Molière a fortement insisté dans sa préface, sur la menace que constituaient, pour l'État, les hypocrites : regroupés en cabale*, ces individus sapent les fondements mêmes sur lesquels s'appuie le pouvoir monarchique, à savoir la confiance et la bonne foi. Il faut alors envisager la pièce du *Tartuffe* comme une représentation de la société française au temps de Louis XIV. Au lieu de placer l'action du *Tartuffe* sur une place publique (comme c'était l'usage dans les comédies*), Molière a fait du *Tartuffe* un «huis clos» : l'action se déroule à l'intérieur d'une maison bourgeoise. La cellule familiale à la tête de laquelle se trouve le chef de famille, le père (Orgon), représente, en quelque sorte, la société, au sommet de laquelle se trouve le roi. L'analogie n'a rien de fortuit. Au contraire. À l'époque de Molière, le roi est considéré comme le père de son peuple et le père comme un roi dans sa famille (Mariane n'évoque-t-elle pas à propos, au vers 589, «un père absolu»?). « Nommer un roi père de son peuple n'est autre chose que l'appeler par son nom», affirme d'ailleurs La Bruyère dans *Les Caractères*. Autrement dit, ce qui se passe dans la maison d'Orgon avec Tartuffe représente ce qui se passe dans l'État avec la cabale* des hypocrites. Cette **lecture allégorique** de la pièce justifie alors l'intervention finale du roi.

Du théâtre qui met en scène la réalité?

Second point : il est impossible de ne pas établir un parallèle entre le dénouement* du *Tartuffe* et le dénouement* de la querelle du *Tartuffe*. Le triomphe des anti-Tartuffe, et surtout le coup de théâtre* qui le permet, témoigne sur la scène de la victoire de Molière sur ses ennemis, grâce à la permission royale. Les thèmes évoqués dans la tirade de l'Exempt (rôle de l'État, perspicacité et justice du roi, fonction de la justice) résonnent alors d'un nouvel écho et la valeur idéologique d'un éloge du roi ne pouvait manquer d'être considérable pour un public du XVIIe siècle. Elle signale le triomphe de Molière sur ses ennemis, l'association du poète et du prince, l'alliance de Molière et de Louis XIV. La défaite de Tartuffe est une mise en abyme de la défaite de la cabale* des dévots, c'est-à-dire du triomphe de Molière contre la Compagnie du Saint-Sacrement. La scène du dénouement* final prend de ce fait une valeur historique et symbolique : Molière s'acquitte en quelque sorte de sa dette envers Louis XIV qui l'a soutenu dans sa lutte. La défaite de Tartuffe sur la scène signe la défaite des hypocrites dans la société.

Annexes

De vous à nous

Arrêt sur lecture 1 (p. 57)

1 – Vous avez pu vous apercevoir que le discours de Molière change, selon qu'il s'adresse au roi ou aux lecteurs. De la même façon, le ton qu'il emploie varie selon les placets*. Ce sont tous ces points que vous devez avoir repérés en lisant la préface et les trois placets*. Remarquez comment dans les deux premiers placets*, par exemple, Molière s'inscrit dans une relation particulière et privilégiée avec le roi : vous pouvez noter l'équilibre entre les marques de première personne du singulier (« je », « me »...) et les adresses au roi (« Sire », « Votre Majesté »); au contraire, les ennemis de Molière sont toujours évoqués de manière vague, floue et imprécise, par de nombreuses occurrences de « on », des termes au pluriel (« les tartuffes »), voire des singuliers à valeur collective (« la cabale* »). Pourquoi, sinon pour insister sur le fait que ce sont des gens insaisissables, qui agissent dans l'ombre et de façon sournoise ? Enfin, il est tout à fait remarquable que Molière n'évoque guère les faux dévots ou la cabale* dans le troisième placet* : Molière a gagné, ses ennemis sont terrassés et n'existent plus. Dans la préface, en revanche, le pronom personnel « on » se retrouve de manière extrêmement fréquente. Attention, il n'a pas toujours la même valeur : il peut désigner les ennemis de Molière comme avoir une valeur impersonnelle qui correspond à « celui qui... », voire à « vous ». Soyez vigilant lors de votre lecture.
2 – Vous pouvez proposer plusieurs classements différents : par exemple décider de ranger les acteurs par ordre alphabétique. Vous pouvez également choisir, comme cela vient de vous être suggéré, de dresser une liste par ordre d'apparition, ou bien par ordre d'importance. Cette dernière disposition est plus délicate et suppose que vous vous interrogiez sur le sens à donner au nom « importance » (reportez-vous pour cela au Tableau de présences dans les Bilans). S'agit-il d'une importance sur le plan de l'action ?

Tartuffe, dans ce cas, ouvrirait la liste, puisqu'il est l'élément perturbateur qui va provoquer les périls successifs. S'agit-il au contraire d'une importance qui s'évalue en fonction du nombre de vers prononcés ? Dorine devrait être alors placée en première position (c'est la plus bavarde) et Tartuffe serait relégué au troisième rang. S'agit-il encore d'une importance qui se jauge à la présence sur scène de l'acteur, que celui-ci intervienne ou pas ? Il faudrait alors ranger Tartuffe en septième position. Vous avez trouvé d'autres classements possibles ? Vous constatez aisément que l'ordonnancement des acteurs reste un point éminemment stratégique et que le critère de classement peut révéler ou bien au contraire dissimuler les rapports de force et les liens entre les différents personnages. Cela crée bien des difficultés !

Arrêt sur lecture 2 (p. 97)

1 – Bien évidemment, les renseignements fournis par la liste des acteurs et par la scène d'exposition* sont identiques. Cette redondance s'explique par le fait que le spectateur, qui n'a pas lu la pièce (et pour cause, au moment de la première représentation, la pièce n'est pas encore imprimée !), ne sait rien, ni de l'intrigue*, ni des personnages qu'il voit pour la première fois sur la scène. La scène d'exposition*, par toutes les informations objectives qu'elle contient, propose, à sa manière, une liste des acteurs, mais une liste des acteurs en action. Pour autant, il n'y a pas répétition : la liste des acteurs révèle les liens qui unissent les protagonistes entre eux : elle ne permet pas de connaître le jeu des forces en présence, ni de connaître l'enjeu de l'intrigue*. La liste des acteurs ne dispense donc en aucun cas le lecteur de lire la scène d'exposition* !
2 – Le fait que le portrait élogieux de Tartuffe soit brossé par Madame Pernelle suffit à semer le doute dans l'esprit du spectateur et du lecteur et à l'inviter à croire au portrait de Tartuffe esquissé par les autres personnages. La liste des acteurs fournit un indice supplémentaire au lecteur : en effet, avant même de lire la pièce, il sait que Tartuffe est un « faux dévot ». Aucune hésitation, aucune méprise n'est possible à la lecture de la scène d'exposition*.
3 – Examinez le nombre de vers consacré à l'« ancien » Orgon et le nombre destiné à décrire un Orgon « hébété » (la disproportion est un indice); les procédés d'accumulation et d'énumération; les répétitions de construction et de structure (à l'intérieur de la tirade comme à l'intérieur d'un même vers); le jeu sur les temps des verbes (l'opposition passé/présent); la conjonction de coordination « mais » (vers 183) qui marque l'opposition...

4 – Le champ lexical de l'amour et le vocabulaire de la fascination

Le portrait que brosse Dorine d'Orgon se caractérise surtout par son réalisme, le pittoresque marqué par les détails et les anecdotes, l'art des comparaisons suggestives (vers 189-190). Tout cela contribue à la dimension comique de ce portrait.

5 – La répétition mécanique (« Et Tartuffe ? [...] Le pauvre homme ! ») apparaît comme le procédé le plus important pour dénoncer l'aveuglement d'Orgon puisqu'il révèle son obsession fondamentale. Vous pouvez également analyser l'alternance des récits de Dorine, le jeu des symétries et des contrastes dans les répliques de la suivante, selon qu'elle évoque Elmire ou Tartuffe.

6 – Tous les procédés employés dans cette scène participent au comique de la scène. Le philosophe Bergson a ainsi défini le comique : « Le comique est provoqué par du mécanique plaqué sur du vivant. » C'est bien le comique de répétition qui prime ici. Les tournures hyperboliques employées par Dorine contribuent également à conférer à cette scène une dimension comique.

7 – Cléante n'intervient pas du tout dans cette scène. Pour autant, il ne faut pas imaginer Cléante immobile et indifférent à la scène à laquelle il assiste : s'il ne participe pas verbalement, du moins réagit-il et s'indigne-t-il de la réaction d'Orgon (ce dont la première réplique de la scène suivante témoigne). Dorine joue une scène pour Cléante et se joue d'Orgon : cette scène a pour but de révéler à Cléante l'aveuglement d'Orgon. Une complicité, dont la scène 2 avait déjà rendu compte, s'instaure donc entre la suivante et l'honnête homme, malgré leur différence sociale. Vous pouvez imaginer des jeux de regard (clins d'œil, regards de connivence) et de gestes entre les deux personnages. Cléante représente, en quelque sorte, le spectateur en scène et sur scène : il sert de « pôle d'identification au spectateur » (Ferreyrolles).

8 – Tartuffe manifeste ici une dévotion* ostentatoire. Gestes outrés. Excès. Tous les procédés d'exagération montrent que chez lui tout n'est qu'hypocrisie (analysez l'abondance des verbes d'action). Tartuffe joue le rôle d'un chrétien exemplaire. Il apparaît comme un manipulateur et un intrigant. Il manœuvre en deux temps : il commence par « séduire » Orgon à l'église, puis investit la maison d'Orgon.

9 – Évidemment non ! C'est bien l'inverse qui se produit. L'éloge de Tartuffe par Orgon devient en fait éloge paradoxal et portrait à charge du faux dévot. Cette apologie de Tartuffe à travers le récit de sa rencontre avec Orgon se transforme en réquisitoire doublement disqualifiant : il disqualifie à la fois celui qui en est l'objet (Tartuffe) et plus encore celui qui en est à l'origine (Orgon). Orgon, à travers ce portrait, apparaît comme un être naïf, facile à duper et victime des apparences. Orgon ne voit pas Tartuffe tel qu'il est, un imposteur doublé d'un faux dévot, mais tel qu'il se le représente, c'est-à-dire un saint, un modèle de dévotion*. La fourberie et l'imposture de Tartuffe ne font plus aucun doute dans l'esprit du spectateur.

Arrêt sur lecture 3 (p. 141)

1 – Le recours aux impératifs (abondants, au vers 427, par exemple), les verbes injonctifs (par exemple le verbe « devoir »), et les verbes de volonté (notamment, « vouloir ») manifestent l'autorité d'Orgon. Son autoritarisme se manifeste aussi par l'emploi du style indirect : « Dites-moi [...] qu'il touche votre cœur » (vers 441 à 444); la verbalisation de son autorité paternelle : « Je sais ce qu'il vous faut, et je suis votre père »; dans le conflit avec Dorine, par le fait qu'il n'oppose aucun argument mais lui ordonne de se taire. C'est un Orgon despotique qui apparaît dans ce deuxième acte.
2 – Le caractère pittoresque de la description; précision et abondance des détails; insistance sur les aspects sociaux; la caricature de la vie bourgeoise de province...

Arrêt sur lecture 4 (p. 208)

1 – Le serviteur de Tartuffe, Laurent, dont il est fait mention dès l'acte d'exposition* (vers 203 à 210), ou que Tartuffe appelle au début de l'acte III, n'apparaît jamais dans la pièce : il n'est même pas dans la liste des acteurs. Cette absence permet d'insister sur l'hypocrisie de Tartuffe et le mystère qui entoure ce personnage. La présence du confident de Tartuffe aurait contraint Molière à agencer une scène entre les deux hommes, dans laquelle le spectateur aurait vu la « réalité » de Tartuffe, un Tartuffe « sans masque ». Or, jamais on ne voit le faux dévot jeter le masque. Tartuffe garde un silence pesant et ambigu : il n'avoue jamais. Molière insiste ainsi sur l'opacité d'un tel personnage : son hypocrisie apparaît alors d'autant plus dangereuse et inquiétante.
2 – La répétition des interrogations et des exclamations montre un Damis

impétueux et fougueux qui s'apparente plus à un personnage de tragédie que de comédie*.

3 – Le pronom personnel « on » qu'emploie Elmire dans cette tirade désigne l'ensemble de la gent féminine. Ce « on » de généralité est une façon pour Elmire de conserver une certaine distance avec le discours qu'elle tient à Tartuffe (rappelez-vous qu'elle feint un amour pour un personnage qu'elle abhorre). Ce pronom personnel lui permet de faire croire à Tartuffe qu'elle s'inclut dans cette description du comportement féminin, alors qu'il n'en est rien.

4 – Le pronom personnel « on » est ici, contrairement à l'emploi précédent (voir question 3), destiné à Orgon et est l'équivalent d'un « vous ». Tartuffe s'y méprend qui croit que ce pronom personnel le désigne (et qu'il témoigne d'une pudeur d'Elmire) : la reprise du pronom personnel au vers 1520 le confirme.

Arrêt sur lecture 5 (p. 248)

1 – Il faut rapprocher cette scène de la dernière scène de l'acte d'exposition*, réunissant Orgon et Cléante : Tartuffe est toujours au centre des discussions. Comme lors de la première entrevue entre Cléante et Orgon, cette scène est l'occasion de rappeler la distinction entre la fausse et la vraie dévotion*. Cléante incarne un idéal d'honnêteté, compromis entre une dévotion* mal digérée (proche du fanatisme) et un libertinage condamnable, refus des excès et des extrêmes, aspiration à la modération et à l'équilibre.

Il existe bien un rapport de symétrie entre les deux scènes (pour plus de détails sur les effets de symétrie dans *Le Tartuffe*, reportez-vous aux Bilans). L'examen et la comparaison de ces deux scènes vous permettent de constater qu'Orgon n'a en aucune manière tiré les leçons de sa mésaventure, il reste un homme aveuglé, qui pèche par excès : c'est bien ce que Cléante lui reproche lorsque Orgon passe d'un extrême à l'autre, c'est-à-dire de la confiance aveugle à la condamnation radicale. Cette répétition n'est pas dénuée d'effet comique. Examinez les vers 316-317 (dans lesquels Orgon prédit à Cléante « quelque méchante affaire ») et replacez-les dans le contexte de la première scène de l'acte V : Orgon apparaît bien comme l'arroseur arrosé !

2 – Les vers 1640-1641 ont une valeur prédictive et annoncent l'éloge royal final (relisez la tirade de l'Exempt). Il faut donc les considérer comme un indice du dénouement* et de l'intervention du roi. Effet de valorisation et d'insistance par leur place à la fin de la scène. Cette allusion au règne de Louis XIV, qui suit l'agitation stérile d'Orgon et ses résolutions arbitraires (scène première), et l'impétuosité de Damis (scène 2) laissent entrevoir une troisième voie, une résolution différente de l'intrigue* que l'intervention de l'Exempt va rendre effective.

3 – Les deux récits récapitulatifs d'Orgon se caractérisent surtout par le recours aux hyperboles, aux jeux de contraste et à la vivacité du style. Orgon apparaît (encore et toujours) comme un homme de démesure et d'excès.

4 – L'acteur qui joue Orgon peut prononcer ce vers de deux manières possibles : ou bien sur un ton qui exprime la lassitude d'Orgon devant les pointes ironiques de Dorine, ou bien sur un ton autoritaire qui marque son exaspération systématique devant les piques insolentes de la servante. Dans ce dernier cas, cette réplique marquerait un sursaut d'autorité d'Orgon, qu'il faudrait interpréter comme un aveu supplémentaire de son impuissance et de sa faiblesse.

5 – Le retour sur scène de Valère, s'il accroît la tension dramatique en annonçant la concrétisation imminente du péril politique, doit s'entendre comme un indice du dénouement* final, et surtout de l'issue heureuse de ce dénouement*. Faire revenir l'amant de Mariane sur la scène et maintenir sa présence jusque dans la dernière scène ne se justifie que si l'obstacle concernant cette union se trouve levé à la fin de la pièce.

6 – La stichomythie*, les interrogations et exclamations rendent compte de la stupeur des personnages sur scène (Tartuffe au premier chef) et insistent sur le caractère imprévu de la situation : le dénouement* s'apparente à un coup de théâtre* aussi bien pour les protagonistes que pour le spectateur. Les acteurs expriment sur la scène le sentiment et la réaction du spectateur dans la salle.

7 – La tirade de l'Exempt est une apologie du pouvoir royal et une manifestation de sa justice et de son équité. La tirade de l'Exempt se divise en trois parties : elle s'ouvre sur le portrait élogieux d'un roi juste (1906-1916); se poursuit par la condamnation de Tartuffe (vers 1917-1935); s'achève sur la double réhabilitation d'Orgon.

Vous pouvez relever dans cette tirade les champs lexicaux du regard et de la lumière.

Au terme de cette tirade, l'intervention royale se manifeste triplement : Tartuffe est confondu et envoyé en prison, la donation est annulée (Orgon est rétabli dans ses droits et récupère ses biens), le roi accorde sa clémence à Orgon et lui pardonne d'avoir conservé la cassette d'un antifrondeur : le comportement d'Orgon pendant la Fronde et sa loyauté envers le roi justifient une telle réaction ; Orgon est ainsi amnistié.

8 – Le prince apparaît comme un être clairvoyant, juste et plein de discernement et de perspicacité. L'aveuglement d'Orgon trouve son contrepoint naturel dans la clairvoyance du roi. Le Prince est l'antithèse d'Orgon, il en est l'image inversée.

9 – C'est sur la réplique d'Orgon que s'achève la pièce. Orgon apparaît donc comme le principal protagoniste de la comédie*. N'oubliez pas que le véritable sujet de la pièce est le « désabusement d'Orgon » (relisez les Ouvertures) et que l'intention de Molière, dans *Le Tartuffe*, est tout autant de dénoncer les hypocrites que de montrer l'aveuglement de leurs dupes.

10 – L'adjectif qualificatif « sincère » qui clôt la pièce a une grande importance symbolique, puisqu'il est l'antonyme de « hypocrite ». Il marque la défaite du masque et de l'apparence, la victoire de la loyauté et de la franchise. C'est le mot de la fin.

Glossaire

Antiphrase : figure par laquelle on utilise un mot dans un sens contraire à sa véritable signification.

Aparté : réplique (ou partie de réplique) d'un acteur qui n'est pas adressée à un autre acteur sur la scène mais à lui-même ; elle est, par conséquent, destinée essentiellement au public.

Baroque : s'emploie par opposition au **classicisme** (voir ce mot) pour désigner la littérature française du premier XVIIe siècle caractérisé par le mélange des styles et des genres, le goût pour l'illusion et la surprise, pour la variété et l'irrégularité.

Cabale : association des partisans d'une doctrine qui manœuvrent secrètement contre quelqu'un ou quelque chose.

Casuistique : étude des cas de conscience en application avec la morale religieuse.

Catastrophe : voir **Péripétie**.

Classicisme : période correspondant à la seconde moitié du XVIIe siècle (plus précisément entre 1660 et 1680) qui se caractérise par un idéal esthétique de clarté et de régularité et la fixation de normes et de règles, notamment pour les genres dramatiques.

Comédie : pièce de théâtre à l'issue heureuse. Molière a inauguré le genre de la « grande comédie », calquée sur le modèle de la tragédie, c'est-à-dire en alexandrins et en cinq actes.

Coup de théâtre : bouleversement brutal des données de l'intrigue qui provoque un retournement complet de la situation.

Dénouement : dernier moment de la pièce qui permet la disparition du dernier obstacle et la résolution de l'intrigue. Le dénouement détermine la nature de la pièce (comédie si l'issue est heureuse, tragédie si l'issue est malheureuse). Le dénouement classique doit être « nécessaire, complet et rapide ».

Dévotion : attachement fervent aux pratiques religieuses.

Didascalie : informations ou indications de mise en scène données par l'auteur qui ne seront pas lues sur scène mais qui en revanche seront représentées.

Directeur de conscience : sorte de confesseur ou de conseiller spirituel choisi par une personne pour diriger sa conduite.

Éponyme : qui donne son nom à quelque chose.

Exposition : premier moment du texte dramatique (ne devant généralement pas dépasser le premier acte) qui consiste à dévoiler toutes les informations nécessaires à la compréhension de la situation.

Farce : comédie populaire médiévale dans laquelle dominent le comique grotesque et bouffon, le rire grossier et un style peu raffiné. Elle se caractérise surtout par des jeux de scène et des thèmes subversifs (mari trompé...).

Intrigue : succession des éléments et des événements qui forment l'action de la pièce jusqu'à son dénouement.

Onomastique : étude des noms propres, spécialement en littérature.

Paratexte : ensemble des éléments qui entourent et escortent le texte de la pièce proprement dit (c'est-à-dire le titre, la préface, les placets, la liste des acteurs, les didascalies...).

Péripétie : selon Aristote, « retournement de l'action en sens contraire ». La péripétie est donc un retournement de situation inattendu. La **catastrophe** est la dernière péripétie, c'est-à-dire celle qui amène le dénouement.

Placet : demande par écrit, qu'on envoie à un personnage important dans le but d'obtenir une grâce ou une faveur.

Quiproquo : méprise, malentendu qui fait que les personnages prennent une chose pour une autre.

Règle des trois unités : règle classique qui exige qu'il n'y ait qu'une action principale (unité d'action), se déroulant en un lieu unique marqué par le décor (unité de lieu) et en moins de vingt-quatre heures (unité de temps).
Stichomythie : dialogue vif dans lequel les personnages se répondent vers pour vers.
Type : personnage représentatif d'une classe d'êtres, parce qu'il réunit les traits essentiels de tous les êtres de même nature.
Utilité : acteur ayant un rôle mineur dans la pièce.

Bibliographie

Sur le théâtre

Jacqueline de Jomaron, *Le Théâtre en France*, Paris, A. Colin, 1992.
Alain Viala, *Le Théâtre en France des origines à nos jours*, Paris, P.U.F., coll. « Premier Cycle », 1997.

Sur le théâtre du XVIIe siècle

Paul Bénichou, *Morales du Grand Siècle* (1948), Paris, Gallimard, coll. « Folio essais », 1988.
Michel Corvin, *Lire la comédie*, Paris, Dunod, 1994.
Georges Forestier, *Introduction à l'analyse des textes classiques. Éléments de poétique et de rhétorique du XVIIe siècle*, Paris, Nathan, coll. « 128 », 1993.
Michel Gilot et Jean Serroy, *La Comédie à l'âge classique. Des origines à Beaumarchais*, Paris, Belin, 1997.
Roger Guichemerre, *La Comédie classique en France*, Paris, P.U.F, coll. « Que sais-je ? », 1978.
Jacques Scherer, *La Dramaturgie classique en France* (1950), Paris, Nizet, 1986.

Sur Molière

Jean-Pierre Collinet, *Lectures de Molière*, Paris, A. Colin, 1974.
Gabriel Conesa, *Le Dialogue moliéresque*, Paris, Sedes-Cdu, 1991.
Patrick Dandrey, *Molière ou L'Esthétique du ridicule*, Paris, Klincksieck, 1992.

Gérard Defaux, *Molière ou les Métamorphoses du comique*, Paris, Klincksieck, 1992.
Georges Forestier, *Molière en toutes lettres*, Paris, Bordas, 1990.

Sur Le Tartuffe

Gérard Conio, *Œuvres majeures, Molière*, Paris, Marabout, 1992.
Gérard Ferreyrolles, *Tartuffe*, Paris, P.U.F., coll. « Études littéraires », 1987.
Jacques Scherer, *Structures de Tartuffe*, Paris, Sedes, 1974.

Sur les mises en scène du Tartuffe

Jacques Copeau, *Molière (Registres II)*, Paris, Gallimard, coll. « Pratique du théâtre », 1976.
Louis Jouvet, *Molière et la comédie classique*, Paris, Gallimard, 1965. [Extraits de ses cours du conservatoire.]
Roger Planchon, *Le Tartuffe*, Paris, Hachette, coll. « Classiques du théâtre », 1967.

Filmographie

Sur Molière

Molière, ou la vie d'un honnête homme, Ariane Mnouchkine, 1978.

Sur Le Tartuffe

Le Tartuffe, enregistrement d'une représentation de la Comédie-Française, mise en scène de Jacques Charon.
Le Tartuffe, avec Gérard Depardieu, d'après la mise en scène de Jacques Lasalle (Théâtre national de Strasbourg, 1984).

TABLE DES MATIÈRES

Dans la même collection

Collège

Homère, Virgile, Ovide - **L'Antiquité** (textes choisis) (16)
Évelyne Brisou-Pellen - **Le fantôme de maître Guillemin** (18)
Pierre Corneille - **Le Cid** (7)
Jean-Louis Curtis, Harry Harrison, Kit Reed - **3 nouvelles de l'an 2000** (43)
Didier Daeninckx - **Meurtres pour mémoire** (35)
Alphonse Daudet - **Lettres de mon moulin** (42)
Régine Detambel - **Les contes d'Apothicaire** (inédit) (2)
François Dimberton, Dominique Hé - **Coup de théâtre sur le Nil** (BD inédite) (41)
Georges Feydeau - **Feu la mère de Madame** (47)
Jean de La Fontaine - **Fables choisies** (52)
Eugène Labiche - **Un chapeau de paille d'Italie** (17)
Guy de Maupassant - **13 Histoires vraies** (46)
Molière - **Le bourgeois gentilhomme** (33)
Molière - **Les femmes savantes** (34)
Molière - **Les fourberies de Scapin** (4)
Molière - **Le médecin malgré lui** (3)
James Morrow - **Cité de vérité** (6)
Charles Perrault - **Histoires ou contes du temps passé** (30)
Marco Polo - **Le devisement du monde** (textes choisis) (1)
Jules Romains - **Knock** (5)
George Sand - **La petite Fadette** (51)
Robert Louis Stevenson - **L'île au trésor** (32)
Jonathan Swift - **Voyage à Lilliput** (31)
Voltaire - **Zadig** (8)

Lycée

Guillaume Apollinaire - Alcools (21)
Honoré de Balzac - Ferragus (10)
Jules Barbey d'Aurevilly - Le chevalier des Touches (22)
Charles Baudelaire - Les Fleurs du Mal (38)
Beaumarchais - Le mariage de Figaro (28)
Pierre Corneille - L'illusion comique (45)
Théophile Gautier - Contes fantastiques (36)
André Gide - La porte étroite (50)
Nicolas Gogol - Nouvelles de Pétersbourg (14)
Victor Hugo - Les châtiments (13)
Eugène Ionesco - La cantatrice chauve (11)
Sébastien Japrisot - Piège pour Cendrillon (39)
Thierry Jonquet - La bête et la belle (12)
Marivaux - Le jeu de l'amour et du hasard (9)
Roger Martin du Gard - Le cahier gris (53)
Guy de Maupassant - Une vie (26)
Guy de Maupassant - Bel-Ami (27)
Montesquieu - Lettres persanes (37)
Raymond Queneau - Les fleurs bleues (29)
Raymond Queneau - Loin de Rueil (40)
Jean Racine - Britannicus (20)
Jean Racine - Phèdre (25)
Jean Renoir - La règle du jeu (15)
Georges Simenon - La vérité sur Bébé Donge (23)
Stendhal - Le rouge et le noir (24)
Voltaire - Candide (48)
Émile Zola - La curée (19)
Émile Zola - Au Bonheur des Dames (49)

Pour plus d'informations :
http://www.gallimard.fr
ou
La bibliothèque Gallimard
5, rue Sébastien-Bottin – 75328 Paris cedex 07

Cet ouvrage a été composé
et mis en pages par Dominique Guillaumin, Paris,
et achevé d'imprimer
sur les presses de l'imprimerie Firmin-Didot
en juin 2000.
Imprimé en France.

Dépôt légal : juin 2000
N° d'imprimeur : 51302
ISBN 2-07-041377-2

95116